Schritte PLUS NEU 1 Niveau A1/1

Deutsch als Zweitsprache
für Alltag und Beruf
Kursbuch und Arbeitsbuch

Daniela Niebisch
Sylvette Penning-Hiemstra
Franz Specht
Monika Bovermann
Angela Pude

Hueber Verlag

Beratung:
Ulrike Ankenbrank, München
Anouk Teskrat, Hamburg

Für die hilfreichen Hinweise danken wir:
PD Dr. Marion Grein, Johannes Gutenberg-Universität Mainz
sowie allen Teilnehmerinnen und Teilnehmern an den Kursleiter-Workshops

Foto-Hörgeschichte:
Darsteller: Constanze Fennel, Gerhard Herzberger, Philip Krause,
Mirjam Luttenberger, Paula Miessen u. a.
Fotograf: Matthias Kraus, München

7. 6. 5. | Die letzten Ziffern
2022 21 20 19 18 | bezeichnen Zahl und Jahr des Druckes.
Alle Drucke dieser Auflage können, da unverändert,
nebeneinander benutzt werden.
1. Auflage

Umschlaggestaltung: Sieveking · Agentur für Kommunikation, München
Zeichnungen: Jörg Saupe, Düsseldorf
Gestaltung und Satz: Sieveking · Agentur für Kommunikation, München
Druck und Bindung: Westermann Druck GmbH, Braunschweig
Printed in Germany
ISBN 978-3-19-301081-0

Art. 530_19740_001_05

Aufbau

Symbole und Piktogramme

Kursbuch

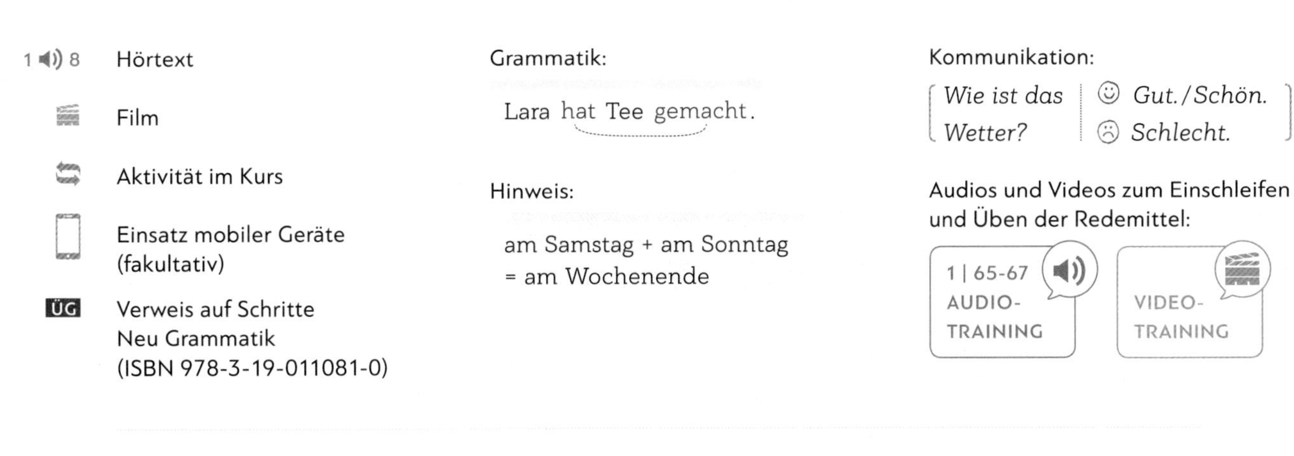

Arbeitsbuch

1 12 Hörtext

B2 Verweis ins Kursbuch

◇ Vertiefungsübung zum binnendifferenzierenden Arbeiten

❖ Erweiterungsübung zum binnendifferenzierenden Arbeiten

Inhaltsverzeichnis **Kursbuch**

D	E	Wortfelder	Grammatik
Buchstaben • Alphabet • Telefongespräch: nach jemandem fragen	**Adresse** • Visitenkarten lesen • Anmeldeformular ausfüllen	• Begrüßung und Abschied • Personalien • Länder • Sprachen	• Aussage: *Ich bin Lara.* • W-Frage: *Wie heißen Sie?* • Personalpronomen: *ich, du, Sie* • Verbkonjugation: *heißen, kommen, sprechen, sein* • Präposition: *aus*
Zahlen und Personalien • bis 20 zählen • Interview: Fragen zur eigenen Person beantworten • Formular ausfüllen	**Deutschsprachige Länder** • einfache Informationen verstehen	• Familie • Personalien	• Possessivartikel: *mein/meine, dein/deine, Ihr/Ihre* • Personalpronomen: *er/sie, wir, ihr, sie* • Verbkonjugation: *leben, heißen, sprechen, haben, sein* • Präposition: *in*
Preise und Mengenangaben • Preise und Mengenangaben nennen und verstehen • einen Prospekt verstehen	**Einkaufen und kochen** • ein Einkaufsgespräch führen • ein einfaches Rezept lesen	• Lebensmittel • Mengenangaben • Preise	• Ja-/Nein-Frage: *Haben Sie Eier?* • Nullartikel: *Haben wir Zucker?* • indefiniter Artikel: *ein, eine* • Negativartikel: *kein, keine* • Plural: *Tomaten, Eier* • Verbkonjugation: *möchte-*
Wohnungsanzeigen • bis eine Million zählen • Wohnungsanzeigen relevante Informationen entnehmen	**Am Telefon** • Kleinanzeigen Informationen entnehmen • Auskünfte am Telefon erfragen	• Farben • Haus/Wohnung • Einrichtung (Möbel, Elektrogeräte) • Wohnungsanzeigen	• definiter Artikel: *der, das, die* • lokale Adverbien: *hier, dort* • prädikatives Adjektiv: *Das Zimmer ist teuer.* • Personalpronomen: *er, es, sie* • Negation: *nicht* • Wortbildung Nomen: *der Schrank → der Kühlschrank*
Tageszeiten • Angaben zur Tageszeit verstehen und machen • über den Tagesablauf berichten	**Familienalltag** • Schilder/Telefonansagen: Öffnungszeiten verstehen	• Uhrzeit • Wochentage • Öffnungszeiten • Aktivitäten	• trennbare Verben im Satz: *Lara steht früh auf.* • Verbkonjugation: *fernsehen, arbeiten, essen, anfangen, schlafen* • Präpositionen: *am, um, von ... bis* • Verbposition im Satz: *Robert macht am Nachmittag Sport.*
Freizeit und Hobbys • über Freizeitaktivitäten sprechen • ein Personenporträt verstehen	**Besondere Hobbys** • Interviews über Hobbys verstehen	• Wetter und Klima • Himmelsrichtungen • Freizeitaktivitäten und Hobbys	• Akkusativ: *den Salat, einen Tee, keinen Saft* • Ja-/Nein-Frage und Antwort: *ja, nein, doch* • Verbkonjugation: *nehmen, lesen, treffen, fahren*
Bist du pünktlich gekommen? • über Aktivitäten in der Vergangenheit erzählen • Vorschläge machen und ablehnen	**Kommunikation mit der Schule** • Elternbrief • Telefongespräch: sich / ein Kind wegen Krankheit entschuldigen	• Schule • Ausflug • Freizeitaktivitäten • Aktivitäten im Deutschkurs	• Modalverben: *können, wollen* • Satzklammer: *Kannst du Lili wecken?* • Perfekt mit *haben*: *Lara hat Tee gemacht.* • Perfekt mit *sein*: *Ich bin spazieren gegangen.* • Perfekt im Satz: *Bist du pünktlich gekommen?*

Inhaltsverzeichnis **Arbeitsbuch**

Liebe Leserinnen, liebe Leser,

mit *Schritte plus Neu* legen wir Ihnen ein komplett neu bearbeitetes Lehrwerk vor, mit dem wir das jahrelang bewährte und erprobte Konzept von *Schritte plus* noch verbessern und erweitern konnten. Erfahrene Kursleiterinnen und Kursleiter haben uns bei der Neubearbeitung beraten, um *Schritte plus Neu* zu einem noch passgenaueren Lehrwerk für die Erfordernisse Ihres Unterrichts zu machen. Wir geben Ihnen im Folgenden einen Überblick über Neues und Altbewährtes im Lehrwerk und wünschen Ihnen viel Freude in Ihrem Unterricht.

Schritte plus Neu ...

- führt Lernende ohne Vorkenntnisse in 3 bzw. 6 Bänden zu den Sprachniveaus A1, A2 und B1.
- orientiert sich an den Vorgaben des Gemeinsamen Europäischen Referenzrahmens sowie an den Vorgaben des Rahmencurriculums für Integrationskurse des Bundesamts für Migration und Flüchtlinge.
- bereitet gezielt auf die Prüfungen *Start Deutsch 1* (Stufe A1), *Start Deutsch 2* (Stufe A2), den *Deutsch-Test für Zuwanderer* (Stufe A2–B1), das *Goethe-Zertifikat* (Stufe A2 und B1) und das *Zertifikat Deutsch* (Stufe B1) vor.
- bereitet die Lernenden auf Alltag und Beruf vor.
- eignet sich besonders für den Unterricht mit heterogenen Lerngruppen.
- ermöglicht einen zeitgemäßen Unterricht mit vielen Angeboten zum fakultativen Medieneinsatz (verfügbar im Medienpaket sowie im Lehrwerkservice und abrufbar über die *Schritte plus Neu*-App).

Der Aufbau von *Schritte plus Neu*

Kursbuch (sieben Lektionen)

Lektionsaufbau:

- Einstiegsdoppelseite mit einer rundum neuen Foto-Hörgeschichte als thematischer und sprachlicher Rahmen der Lektion (verfügbar als Audio oder Slide-Show) sowie einem Film mit Alltagssituationen der Figuren aus der Foto-Hörgeschichte
- Lernschritte A–C: schrittweise Einführung des Stoffs in abgeschlossenen Einheiten mit einer klaren Struktur
- Lernschritte D+E: Trainieren der vier Fertigkeiten Hören, Lesen, Sprechen und Schreiben in authentischen Alltagssituationen und systematische Erweiterung des Stoffs der Lernschritte A–C
- Übersichtsseite Grammatik und Kommunikation mit Möglichkeiten zum Festigen und Weiterlernen sowie zur aktiven Überprüfung und Automatisierung des gelernten Stoffs durch ein Audiotraining und ein Videotraining sowie eine Übersicht über die Lernziele
- eine Doppelseite „Zwischendurch mal ..." mit spannenden fakultativen Unterrichtsangeboten wie Filmen, Projekten, Spielen, Liedern etc. und vielen Möglichkeiten zur Binnendifferenzierung

Arbeitsbuch (sieben Lektionen)

Lektionsaufbau:

- abwechslungsreiche Übungen zu den Lernschritten A–E des Kursbuchs
- Übungsangebot in verschiedenen Schwierigkeitsgraden, zum binnendifferenzierten Üben
- ein systematisches Phonetik-Training
- ein systematisches Schreibtraining
- Aufgaben zum Selbstentdecken grammatischer Strukturen (Grammatik entdecken)
- Aufgaben zur Prüfungsvorbereitung
- Selbsttests am Ende jeder Lektion zur Kontrolle des eigenen Lernerfolgs der Teilnehmer
- fakultative Fokusseiten zu den Themen Alltag, Beruf und Familie

Anhang:

- Lernwortschatzseiten mit Lerntipps, Beispielsätzen und illustrierten Wortfeldern
- Grammatikübersicht

Außerdem finden Sie im Lehrwerkservice zu *Schritte plus Neu* vielfältige Zusatzmaterialien für den Unterricht und zum Weiterlernen.

Viel Spaß beim Lehren und Lernen mit *Schritte plus Neu* wünschen Ihnen

Autoren und Verlag

Die erste Stunde im Kurs

Guten Tag. Mein Name ist ...

1 🔊 1-8

1 Sehen Sie die Fotos an und hören Sie.

Wer ist das? Verbinden Sie.

Laras Film

1 🔊 1-8 **2 Was ist richtig? Hören Sie noch einmal und kreuzen Sie an.**

○ A
Ich komme aus Deutschland. Ich spreche Polnisch und Deutsch.

○ B
Ich komme aus Deutschland. Ich spreche Deutsch, Englisch und ein bisschen Spanisch.

○ C
Ich komme aus Polen. Ich spreche Deutsch und Englisch.

☒ D
Ich komme aus Deutschland. Ich spreche Deutsch und ein bisschen Englisch.

A Guten Tag.

1 🔊 9 **A1 Wer sagt was? Hören Sie und ordnen Sie zu.**

~~Guten Tag.~~ Hallo. Auf Wiedersehen. Tschüs.

A

B

C

D

A: Guten Tag. B: ________ C: ________ D: ________

A2 Guten Tag! Auf Wiedersehen!

1 🔊 10 **a** Hören Sie und ordnen Sie zu.

A

B

C

D

1 (C) ◻ Auf Wiedersehen, Herr Schröder.
✚ Tschüs, Kinder.

2 ◯ ▲ Guten Abend, meine Damen und Herren. Willkommen bei „Musik international".

3 ◯ ◆ Guten Morgen, Frau Fleckenstein.
○ Guten Morgen. Oh, danke. Auf Wiedersehen.

4 ◯ ● Gute Nacht.
▼ Nacht, Papa.

b Ergänzen Sie aus a.

A

____
Willkommen!
____

B
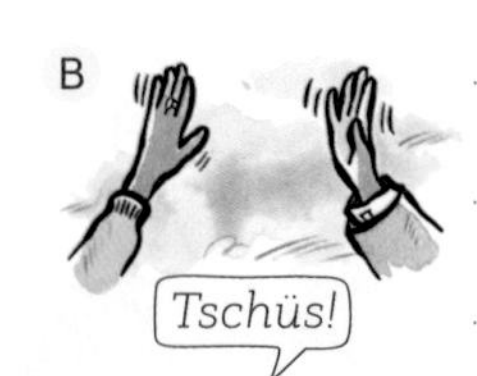

Auf Wiedersehen.
____
____

A3 Machen Sie Kärtchen und sprechen Sie im Kurs.

06:30	◆ Guten Morgen, Frau Eco.	○ Guten Morgen.
13:00	◆ Guten Tag, Herr Díaz.	○ Guten Tag.
20:45	◆ Guten Abend, Alexander.	○ Guten Abend.

6 Uhr – 11 Uhr:	(Guten) Morgen.
11 Uhr – 18 Uhr:	(Guten) Tag.
18 Uhr – ...:	Guten Abend.

06:30

B Ich heiße Lara Nowak.

B1 Ordnen Sie zu.

Ich bin Lili. ~~Ich heiße Lara Nowak.~~ Ich bin Sofia Baumann. Mein Name ist Walter Baumann.

A

Ich heiße Lara Nowak.

B

....

C

....

D

....

1 🔊 11-12 B2 Hören Sie und lesen Sie die Gespräche. Ergänzen Sie die Namen.

A

.... → ← Richard Yulu

- ◆ Guten Tag. Mein Name ist Richard Yulu.
- ○ Guten Tag, Herr ...
  Entschuldigung, wie heißen Sie?
- ◆ Richard Yulu.
- ○ Ah, ja. Guten Tag, Herr Yulu.
  Ich bin Helga Weber.
- ◆ Guten Tag, Frau Weber.

B

.... → ← ....

- ○ Das ist Herr Yulu.
- ▲ Guten Tag, Herr Yulu.
  Ich bin Magdalena Deiser.
- ◆ Guten Tag, Frau Deiser, freut mich.
- ▲ Herzlich willkommen
  im Park-Klinikum.

Wie heißen Sie?
Ich heiße
Ich bin ...
Mein Name ist ...

B3 Und jetzt Sie! Spielen Sie die Gespräche aus B2 im Kurs mit Ihrem Namen.

B4 Suchen Sie bekannte Personen und zeigen Sie ein Foto. Fragen Sie im Kurs.

A

B

C

D

Wer ist das?
Das ist ...

- ◆ Wer ist das?
- ○ Das ist ...
- ◆ Ja, stimmt. / Nein.

- ◆ Wer ist das?
- ▲ Ich weiß es nicht.

SCHON FERTIG? Schreiben Sie Gespräche wie in B2. Beispiel: *Guten Tag, mein Name ist ...*

C Ich komme aus Polen.

1 🔊 13-14 **C1 Hören Sie und ordnen Sie zu.**

bist du | kommst du | kommen Sie | ~~Ich heiße~~

A

◆ Guten Tag. Mein Name ist Lara Nowak.
○ Guten Tag. Freut mich.
Ich heiße .... Klara Schneider.
Woher ...., Frau Nowak?
◆ Aus Polen.

B

◆ Hallo. Ich bin Lara. Und wer ....?
▲ Hallo! Ich bin Henry.
Woher ...., Lara?
◆ Aus Polen.

aus	aus dem	aus der	aus den
Deutschland	Jemen	Schweiz	USA
Österreich	Sudan	Türkei	...
Rumänien	...	Ukraine	
Syrien		...	
Ungarn			
Iran			
Irak			
...			

Woher kommen Sie?	Aus	Deutschland. / ...
Woher kommst du?		München. / ...

C2 Im Deutschkurs

1 🔊 15-17 **a** Hören Sie und lesen Sie die Gespräche. Markieren Sie dann alle Fragen mit „W".

1

▲ Guten Tag, ich bin Hans Mayer. Wie heißen Sie?
□ Ali Tankay.
▲ Woher kommen Sie, Herr Tankay?
□ Aus der Türkei.
▲ Aha! Und Sie? Wer sind Sie?
✚ Ich bin Alexander Makarenko. Ich bin aus der Ukraine.

2

◆ Hallo, ich bin Anna. Und wie heißt du?
○ Ich heiße Sadie.
◆ Und du? Wer bist du?
▲ Ich heiße Rabia.

3

■ Woher kommst du?
● Aus Indien.
■ Ah, toll.
● Und du?
■ Aus Thailand.
● Interessant.

b Ergänzen Sie Fragen aus a.

Sie	du
	Und wie heißt du?

c Fragen und Antworten: Sprechen Sie wie in a.

C3 *du* oder *Sie*?

a Was ist richtig? Kreuzen Sie an.

- ◆ Hallo! Ich bin Umut. Und wer bist ☒ du? ○ Sie?
- ○ Ich heiße Amir.
- ◆ Woher kommst ○ du, ○ Sie, Amir?
- ○ Aus dem Jemen.
- ◆ Aha. Ich komme aus Istanbul.
- ○ ○ Du ○ Sie sprichst gut Deutsch.
- ◆ Nein, nein. Nur ein bisschen.
- ○ Und ○ du, ○ Sie, wie heißen ○ du? ○ Sie?
- ▲ Tufan, Mona Tufan.
- ◆ Ah, schön. Was sprechen ○ du, ○ Sie, Frau Tufan?
- ▲ Ich spreche Deutsch und Türkisch.
- ◆ Aha, auch Türkisch.

1 🔊 18 **b** Hören Sie und vergleichen Sie.

Was sprichst du?
Was sprechen Sie?

Sprachen

Arabisch	Polnisch
Bulgarisch	Rumänisch
Deutsch	Russisch
Englisch	Spanisch
Französisch	Türkisch
Griechisch	Ungarisch
Italienisch	...

C4 Das bin ich!

Sprechen Sie mit Ihrer Partnerin / Ihrem Partner oder machen Sie einen Film.

D Buchstaben

1 ◀)) 19 **D1 Das Alphabet**

Hören Sie und sprechen Sie nach.

Aa	Bb	Cc	Dd	Ee	Ff	Gg	Hh	Ii	Jj	Kk	Ll	Mm
a	be	tse	de	e	ef	ge	ha	i	jot	ka	el	em

Nn	Oo	Pp	Qq	Rr	Ss	Tt	Uu	Vv	Ww	Xx	Yy	Zz
en	o	pe	ku	er	es	te	u	vau	we	iks	ypsilon	tsett

Ää	Öö	Üü	ß
ä	ö	ü	eszett

D2 Buchstabieren Sie Ihren Namen.

Ich heiße Maria Bari.

Wie bitte? Buchstabieren Sie, bitte.

M – A – R – ...

1 ◀)) 20 **D3 Hören Sie das Telefongespräch. Sprechen Sie dann mit Ihrem Namen.**

◆ Firma Microlab, Valentina Schwarz, guten Tag.

◆ Guten Tag, Herr ...

◆ Entschuldigung, wie ist Ihr Name?

◆ Ah ja, Herr Kostadinov. Einen Moment, bitte ... Herr Kostadinov? Tut mir leid, Frau Bär ist nicht da.

◆ Auf Wiederhören, Herr Kostadinov.

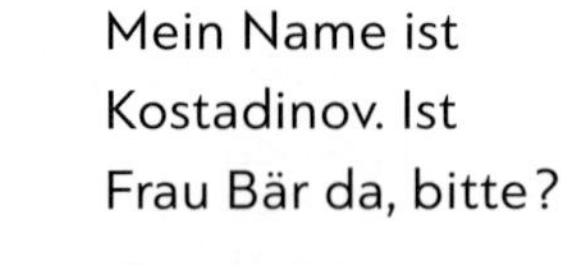

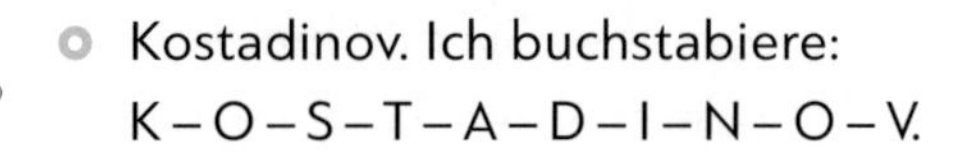

○ Guten Tag. Mein Name ist Kostadinov. Ist Frau Bär da, bitte?

○ Kostadinov.

○ Kostadinov. Ich buchstabiere: K – O – S – T – A – D – I – N – O – V.

○ Ja, gut. Vielen Dank. Auf Wiederhören.

D4 Spiel: ***Die Buchstabenmaus*****. Raten Sie Wörter aus der Lektion.**

E Adresse

E1 Visitenkarten

a Lesen Sie und markieren Sie: Vorname, Familienname / Nachname, Straße, Stadt, Land.

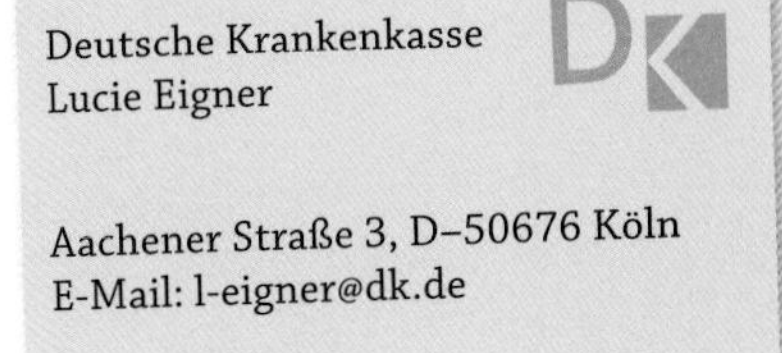

Mag. Jürgen Schremser
Text & Rechte
Obergasse 56 • FL-9494 Schaan
jue@textrecht.com

b Wie heißt das Land? Ordnen Sie zu.

~~Deutschland~~ Schweiz Österreich Liechtenstein

D = Deutschland .... CH = ...

A = ... FL = ...

1 🔊 21 **E2 Hören Sie und ergänzen Sie das Formular.**

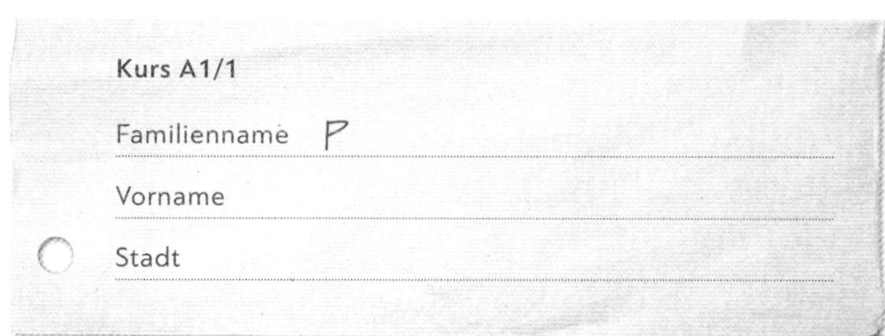
Kurs A1/1

Familienname P ....

Vorname ....

Stadt ....

E3 Wer sind Sie? Ergänzen Sie das Formular.

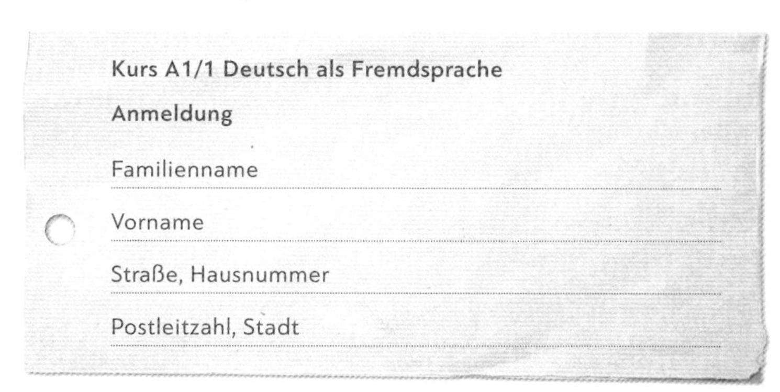
Kurs A1/1 Deutsch als Fremdsprache

Anmeldung

Familienname ....

Vorname ....

Straße, Hausnummer ....

Postleitzahl, Stadt ....

SCHON FERTIG? Schreiben Sie Ihre Visitenkarte. Tauschen Sie die Karten.

Grammatik und Kommunikation

Grammatik

1 Aussage ÜG 10.01

	Position 2	
Mein Name	ist	Walter Baumann.
Ich	bin	Lili.
Ich	komme	aus Deutschland.
Sie	sprechen	gut Deutsch.

2 W-Frage ÜG 10.03

	Position 2	
Wer	ist	das?
Wie	heißen	Sie?
Woher	kommen	Sie?
Was	sprechen	Sie?

3 Verb: Konjugation ÜG 5.01

	kommen	heißen	sprechen	sein
ich	komme	heiße	spreche	bin
du	kommst	heißt	sprichst	bist
Sie	kommen	heißen	sprechen	sind

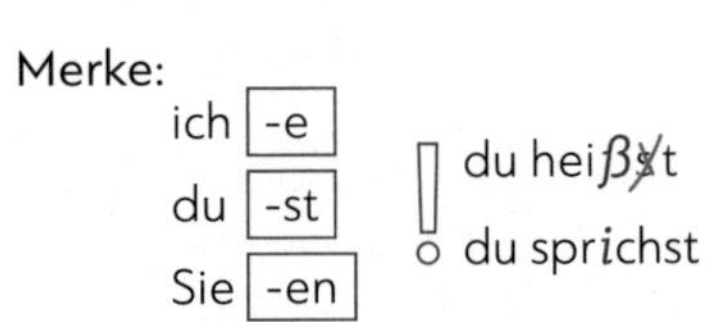

Kommunikation

BEGRÜSSUNG: Hallo!

Hallo! | (Guten) Morgen, Frau Eco. | (Guten) Tag, Herr Díaz.
Guten Abend, Alexander. | (Herzlich) Willkommen. | Freut mich.
Firma Microlab, Valentina Schwarz, guten Tag.

ABSCHIED: Auf Wiedersehen.

Auf Wiedersehen. | Tschüs! | (Gute) Nacht. | Auf Wiederhören.

NAME: Wie heißen Sie?

Wie heißen Sie?	*Ich heiße/bin Lara Nowak.*
Wie heißt du?	*Ich heiße/bin Lili.*
Wer bist du?	*(Ich bin) Lili.*
Wer sind Sie?	*(Ich bin) Sofia Baumann.*
Wie ist Ihr Name?	*(Mein Name ist) Lara Nowak.*
Wer ist das?	*Das ist Herr Yulu.*
	Ich buchstabiere: Y – U – L – U.

Merke:

Ich heiße
Mein Name ist | ~~Frau~~ Baumann.

HERKUNFT: Woher kommen Sie?

Woher kommen Sie, Frau Nowak?	*(Ich komme) aus Polen.*
Woher kommst du, Lara?	

SPRACHE: Was sprechen Sie?

Was sprechen Sie?	*Deutsch.*
Was sprichst du?	*Ich spreche Deutsch und (ein bisschen) Türkisch.*
Sie sprechen/du sprichst gut Deutsch.	*Nein, nein. Nur ein bisschen.*

ENTSCHULDIGUNG: Tut mir leid.

Entschuldigung, ... | *Tut mir leid.*

BITTEN UND DANKEN: Vielen Dank.

Ist Frau Bär da, bitte? | *Buchstabieren Sie, bitte.*
Vielen Dank./Danke.

STRATEGIEN: Ja, stimmt.

Ja. | *Nein.* | *Ah, ja.* | *Aha!* | *Ja, stimmt.* | *Ja, gut.*
Wie bitte? | *..., bitte?* | *Einen Moment, bitte.* | *Ich weiß es nicht.*
Ah, schön. | *Ah, toll.* | *Interessant.*

Das bin ich. Ergänzen Sie.

Name: ....
Land: ....
Stadt: ....
Sprache: ....

Schreiben Sie.

Ich heiße ...
Ich komme aus ...
Ich spreche...

Sie möchten noch mehr üben?

1 | 22-24 AUDIO-TRAINING

Lernziele

Ich kann jetzt ...

A ... jemanden begrüßen und mich verabschieden:
Hallo! Auf Wiedersehen. .... ☺ 😐 ☹

B ... jemanden nach dem Namen fragen und meinen Namen sagen:
Wie heißen Sie? – Mein Name ist Richard Yulu. .... ☺ 😐 ☹

C ... nach dem Heimatland fragen und mein Heimatland sagen:
Woher kommen Sie? – Ich komme aus der Türkei. .... ☺ 😐 ☹

... sagen: Diese Sprachen spreche ich:
Was sprichst du? – Ich spreche Deutsch und Türkisch. .... ☺ 😐 ☹

D ... die Buchstaben sagen und meinen Namen buchstabieren:
Maria: M – A – R – I – A .... ☺ 😐 ☹

... am Telefon nach einer Person fragen:
Ist Frau Bär da, bitte? .... ☺ 😐 ☹

E ... eine Visitenkarte lesen und ein Anmeldeformular ausfüllen:
Familienname: Menardi; Vorname: Lorenzo; ... . ☺ 😐 ☹

Ich kenne jetzt ...

... 5 Länder:

Rumänien, ...

....

... 5 Sprachen:

Italienisch, ...

....

LIED

Das Alphabet

1 🔊 25 Hören Sie das Lied und sprechen Sie mit.

Akkordeon 

Baby 

Cent 

Dynamit 

Elefant 

Flöte

Gitarre 

Hallo

Insekt 

Jaguar 

Kamera 

Lokomotive 

Mikrofon 

Natur 

Ozean

Polizei 

Quartett

Radio 

Saxofon 

Telefon 

Uhu 

Volksmusik 

Wolfgang Amadeus 

Xylofon 

Ypsilon 

Zirkus 

FILM / SPIEL

Buchstabenspiel

Sehen Sie den Film an. Hören Sie und ergänzen Sie die Namen.

Anna, ...

....

....

FILM

Hallo und guten Tag!

1 Sehen Sie den Film ohne Ton an. Was meinen Sie: Was sagen die Personen? Notieren Sie.

2 Sehen Sie den Film nun mit Ton an und vergleichen Sie.

LANDESKUNDE

Begrüßung und Abschied regional

1 🔊 26

1 In Deutschland, Österreich und in der Schweiz gibt es viele Wörter für *Guten Tag!* und *Auf Wiedersehen!* Hören Sie die Wörter und markieren Sie in den Karten.

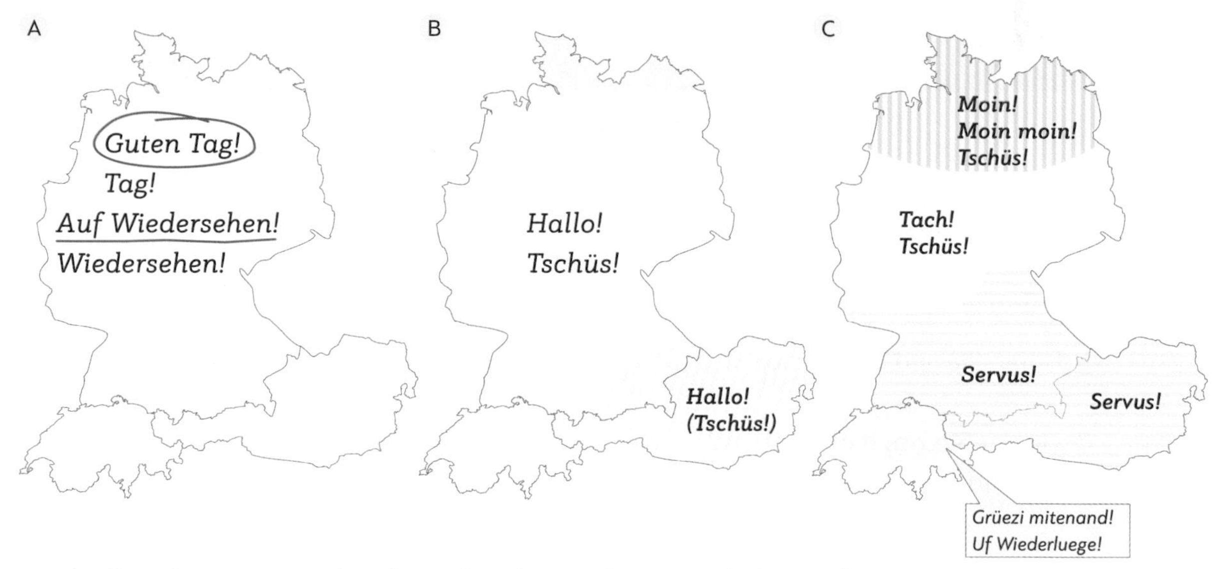

2 Wie heißen *Guten Tag* und *Auf Wiedersehen* in Ihrer Sprache? Sprechen Sie.

Meine Familie

1 Sehen Sie die Fotos an.

a Was meinen Sie? Was ist richtig? Kreuzen Sie an.

1 Tim ○ ist Laras Deutschlehrer. ○ lernt auch Deutsch.

2 Tim und Lara ○ haben Pause. ○ lernen Deutsch im Park.

1 🔊 27-34 **b** Hören Sie und vergleichen Sie.

1 🔊 28-29 **2 Hören Sie noch einmal und ordnen Sie zu.**

~~Kanada~~ Lublin Polen Ottawa

Tim

Land: Kanada

Stadt: ……………

Lara

Land: ……………

Stadt: ……………

Laras und Tims Film

1 🔊 30-32

3 Das ist meine Familie.

a Hören Sie noch einmal und ordnen Sie zu.

Vater | Großeltern | Mutter | ~~Eltern~~ | Bruder | Mutter

A

Das sind Tims *Eltern*:
Tims ....
und Tims ....

B

Das ist Tims ....

C

Das ist Laras ....

Das sind Laras ....

b Was ist richtig? Hören Sie und kreuzen Sie an.

1 ☒ Lara ist zwanzig Jahre alt.

2 ○ Lara hat Geschwister.

3 ○ Laras Vater lebt in Poznań.

A Wie geht's? – Danke, gut.

1 🔊 35 A1 Wie geht's? Hören Sie und ordnen Sie zu.

1 Super.
2 Danke, sehr gut.
3 Gut, danke.
4 Na ja, es geht.
5 Ach, nicht so gut.

○  ○  ①  ○  ○ 

1 🔊 36-37 A2 Wie geht es Ihnen?

a Was ist richtig? Hören Sie und kreuzen Sie an.

1
Wie geht es ...
Tim? ☒☺ ☹
Lara? ☺ ☹

2
Wie geht es ...
Walter Baumann? ☺ ☹
Frau Jansen? ☺ ☹

b Wie geht es Ihnen? Hören Sie noch einmal und sprechen Sie dann mit Ihrem Namen.

1
◆ Hallo, Lara.
○ Hallo, Tim. Wie geht's?
◆ Danke, gut. Und wie geht es dir?
○ Auch gut, danke.

2
▲ Guten Morgen, Frau Jansen.
□ Guten Morgen, Herr Baumann.
Wie geht es Ihnen?
▲ Danke, sehr gut. Und Ihnen?
□ Ach, nicht so gut.

c Kettenspiel: Fragen Sie und antworten Sie.
◆ Hassan, wie geht's?
○ Es geht. Dimitra, wie geht es dir?
▲ Danke, gut. Jenny, ...

du	→	Wie geht's? Wie geht es dir?	Gut, danke.
Sie	→	Wie geht's? Wie geht es Ihnen?	

A3 Sehen Sie die Bilder an: *du* oder *Sie*? Schreiben Sie Gespräche und sprechen Sie.

A 

B 

C 

D 

◆ Guten Tag.
○ Guten Tag, Frau Sánchez.
Wie geht es Ihnen?

B Das ist **mein Bruder**.

2

B1 Wer ist das?

1 38 **a** Hören Sie und ordnen Sie zu.

meine Enkelin

meine Tochter

~~meine Frau~~

mein Sohn

b Was ist richtig? Kreuzen Sie an.

☒ meine Schwester.
○ meine Oma.

○ mein Mann.
○ mein Opa.

1 39 B2 Familienfotos

Ordnen Sie zu und hören Sie.
Variieren Sie dann.

~~Dein~~ mein meine Ihre

1
- Wer ist das? *Dein* Bruder?
- Nein, das ist .... Vater.

2
- Wer ist das? .... Tochter?
- Nein, das ist .... Enkelin Lili.

mein	mein	meine	meine
Bruder	Kind	Tochter	Kinder

ich	du	Sie	
mein	dein	Ihr	Bruder
mein	dein	Ihr	Kind
meine	deine	Ihre	Tochter
meine	deine	Ihre	Kinder

Varianten: Vater – Opa Mutter – Oma Tochter – Frau ...

B3 Rätsel

Ihre Familie: Schreiben Sie einen Namen auf einen Zettel. Wer ist das? Ihre Partnerin / Ihr Partner rät.

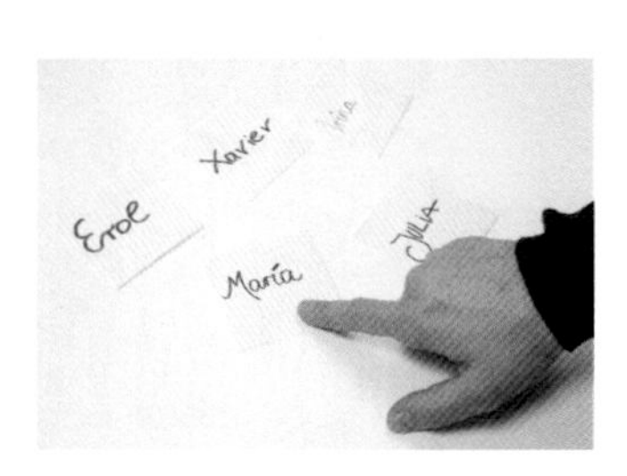

- Wer ist María?
- María ist deine Ehefrau.
- Nein, falsch.
- María ist deine Schwester, oder?
- Ja, genau.

SCHON FERTIG? Planen Sie ein Familienfest. Wer kommt? Machen Sie eine Liste. Beispiel: *meine Tochter* ...

C Er lebt in Poznań.

1 ◀)) 40 **C1 Hören Sie und ordnen Sie zu.**

~~ist~~ ist kommt lebt kommt leben spricht sind wohnen

A

Das *ist* Lara. Sie ………… aus Polen. Aus Lublin. Laras Eltern ………… nicht zusammen. Sie ………… geschieden. Laras Vater ………… in Poznań.

B

Das ………… Tim. Er ………… aus Kanada. Er ………… ein bisschen Deutsch.

C

Lara und Tim ………… jetzt in München.

er/sie	kommt	lebt	spricht	ist
sie/Sie	kommen	leben	sprechen	sind

Tim	→	er
Lara	→	sie
Lara und Tim	→	sie

C2 Das ist/sind ...

Lesen Sie die Informationen und schreiben Sie.

Tao Cheng
China
Österreich

Amir und Maya Navid
Iran
Deutschland

Aba Owusu
Ghana
Deutschland

Das sind Amir und Maya Navid. Sie kommen aus Iran. Jetzt leben sie in ...

C3 Der erste Arbeitstag

1 ◀)) 41 **a** Wer sagt das? Hören Sie und kreuzen Sie an.

	Clara	Merima
1 Wie heißt du?	○	☒
2 Wer seid ihr?	○	○
3 Woher kommt ihr?	○	○
4 Wir kommen aus Bosnien.	○	○

wir	kommen	sind
ihr	kommt	seid

b Im Kurs: Gehen Sie zu zweit herum und fragen Sie andere Paare. Sprechen Sie mit Ihrem Namen.

- ◆ Hallo. Wer seid ihr?
- ○ Wir sind ... und ...
- ◆ Woher kommt ihr?
- ○ Wir kommen aus ...

- ◆ Hallo. Wer seid ihr?
- ○ Das ist ... und ich bin ...
- ◆ Woher kommt ihr?
- ○ Ich komme aus ... und ... kommt aus ...

D Zahlen und Personalien

1 ◀)) 42 D1 Hören Sie und sprechen Sie nach.

0	1	2	3	4	5	6	7	8	9	10
null	eins	zwei	drei	vier	fünf	sechs	sieben	acht	neun	zehn

11	12	13	14	15	16	17	18	19	20
elf	zwölf	dreizehn	vierzehn	fünfzehn	sechzehn	siebzehn	achtzehn	neunzehn	zwanzig

1 ◀)) 43 D2 Welche Telefonnummer hören Sie? Kreuzen Sie an.

1	2	3
☒ 11 12 20	○ 19 18 10	○ 16 17 13
○ 12 11 20	○ 19 16 10	○ 16 17 03

1 ◀)) 44 D3 Hören Sie und lesen Sie das Gespräch.

Ergänzen Sie das Formular.

◆ Wie heißen Sie?
○ Isabel Flores Nevado.
◆ Woher kommen Sie?
○ Aus Spanien.
◆ Wo sind Sie geboren?
○ In Madrid.
◆ Wie ist Ihre Adresse?
○ Marktstraße 1, 20249 Hamburg.
◆ Wie ist Ihre Telefonnummer?
○ 7 8 8 6 3 9.
◆ Sind Sie verheiratet? 
○ Nein, ich bin geschieden.
◆ Haben Sie Kinder?
○ Ja, zwei.
◆ Wie alt sind sie?
○ Meine Tochter ist acht und mein Sohn ist fünf.

Familienname Flores Nevado
Vorname
Heimatland Spanien
Geburtsort
Straße
Wohnort 20249 Hamburg
Telefonnummer
Familienstand
○ ledig ○ verwitwet
○ verheiratet ○ geschieden
Kinder
☒ ja 2 Alter 8 und 5
○ nein

ich	habe	
du	hast	ein Kind
er/sie	hat	

D4 Partnerinterview

a Markieren Sie die Fragen in D3 und fragen Sie Ihre Partnerin / Ihren Partner.

Wo wohnen Sie?
Haben Sie Kinder? *Ja, eins/zwei/...*
Nein.
Wie alt ist Ihr Kind / sind Ihre Kinder?

b Schreiben Sie über Ihre Partnerin / Ihren Partner.

Familienname: Benhassi
Vorname: Adil
Heimatland: Marokko
Geburtsort: Safi
Wohnort: Düsseldorf

E Deutschsprachige Länder

E1 Suchen Sie die Städte auf der Landkarte.
Was ist richtig? Kreuzen Sie an.

	Deutschland	Österreich	Schweiz
a Hamburg ist in	☒	○	○
b Zürich ist in der	○	○	○
c Linz ist in	○	○	○
d Berlin ist die Hauptstadt von	○	○	○
e Wien ist die Hauptstadt von	○	○	○
f Bern ist die Hauptstadt der	○	○	○
g München liegt in Süd-...	○	○	○
h Kiel liegt in Nord-...	○	○	○

E2 Das bin ich!

a Lesen Sie die Texte und ergänzen Sie die Informationen.

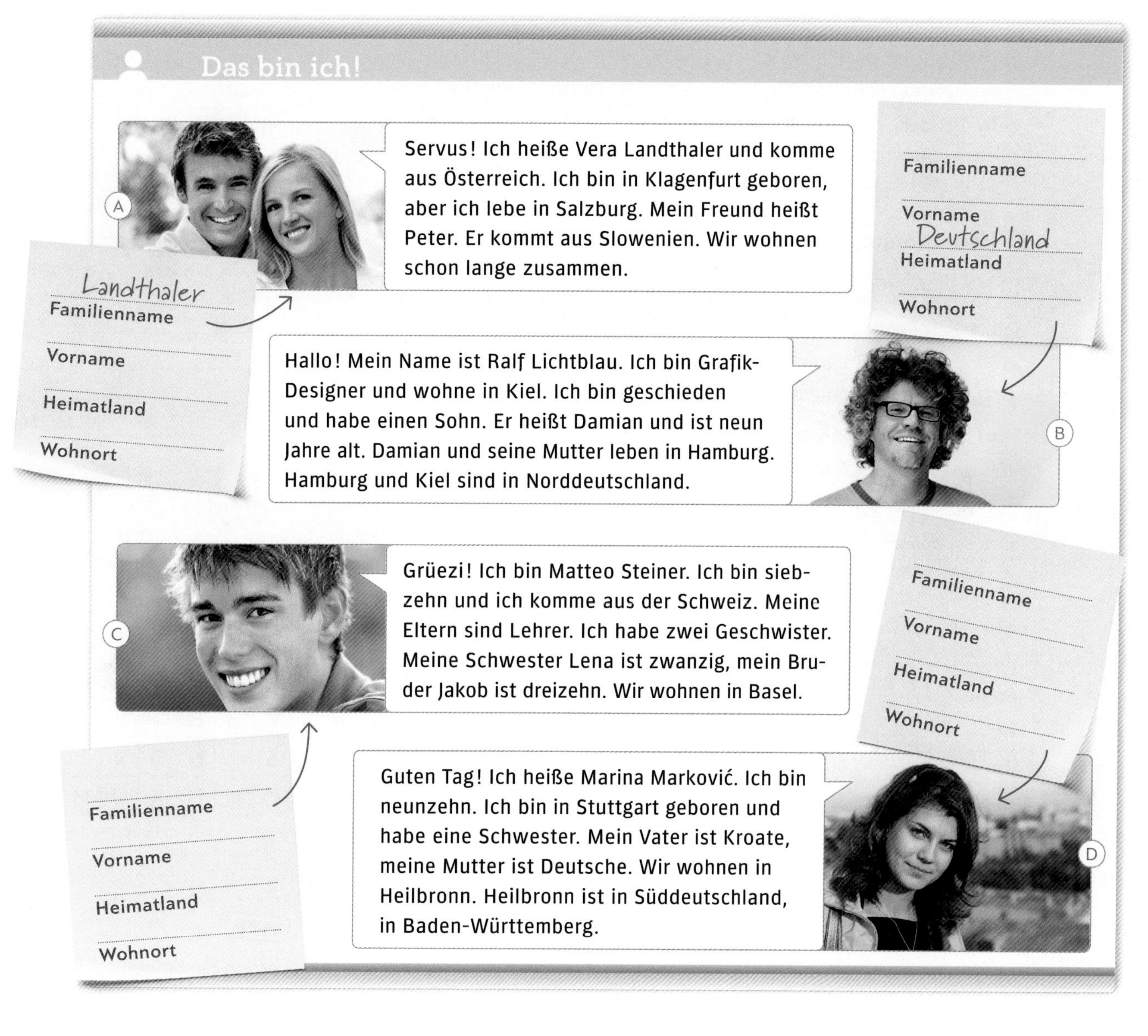

b Lesen Sie noch einmal. Was ist richtig? Kreuzen Sie an.

(A)
- ☒ Vera Landthaler wohnt in Salzburg.
- ○ Sie kommt aus Slowenien.

(B)
- ○ Ralf Lichtblau hat ein Kind.
- ○ Ralf und Damian wohnen zusammen.

(C)
- ○ Matteos Mutter ist Lehrerin.
- ○ Matteo hat zwei Schwestern.

(D)
- ○ Marina Marković wohnt in Stuttgart.
- ○ Sie hat eine Schwester.

SCHON FERTIG? Schreiben Sie einen Text über sich.

Grammatik und Kommunikation

Grammatik

1 Possessivartikel: *mein/e, dein/e, Ihr/e* ÜG 2.04

maskulin	neutral	feminin	Plural
mein Bruder	mein Kind	mein**e** Tochter	mein**e** Kinder
dein Bruder	dein Kind	dein**e** Tochter	dein**e** Kinder
Ihr Bruder	Ihr Kind	Ihr**e** Tochter	Ihr**e** Kinder

Ergänzen Sie.

Das ist ...

1 Das ist ....

2 ....

3 ....

2 Verb: Konjugation ÜG 5.01

	leben*	heißen	sprechen
ich	leb**e**	heiß**e**	sprech**e**
du	leb**st**	heiß**t**	sprich**st**
er/sie	leb**t**	heiß**t**	sprich**t**
wir	leb**en**	heiß**en**	sprech**en**
ihr	leb**t**	heiß**t**	sprech**t**
sie/Sie	leb**en**	heiß**en**	sprech**en**

*auch so: *wohnen, lernen, kommen ...*

	sein	haben
ich	bin	habe
du	bist	hast
er/sie	ist	hat
wir	sind	haben
ihr	seid	habt
sie/Sie	sind	haben

Finden Sie noch vier Formen von *sein*.

A	B	I	S	T	R
L	E	R	E	N	O
K	B	E	I	S	T
S	I	N	D	V	S
O	N	D	R	U	H

Kommunikation

BEFINDEN: Wie geht's?

Wie geht's?	*(Danke,) Super. / Sehr gut. / Gut.* *Sehr gut, danke. / Gut, danke.*
Wie geht es Ihnen?	*Na ja, es geht.*
Wie geht es dir?	*Ach, nicht so gut.*
Und (wie geht es) Ihnen/dir?	*Auch gut, danke.*

TIPP

Lernen Sie Fragen und Antworten immer zusammen.

ANDERE VORSTELLEN: Das ist mein Vater.

Das ist mein Vater / Tims Bruder. | *Sie/Er kommt aus ...* | *Sie/Er lebt in ... / Jetzt lebt sie/er in ...*

Das sind meine Großeltern. | *Sie kommen aus ...* | *Sie leben in ...*

Ihr Bruder / Ihre Schwester / ... Schreiben Sie.

Das ist ...
Sie/Er kommt aus ...
Sie/Er lebt in ...
Sie/Er spricht ...
Sie/Er hat ...

ANGABEN ZUR PERSON: Wo wohnen Sie?

Wo sind Sie geboren?	*Ich bin in Madrid geboren.*
Wo wohnen Sie?	*In Madrid.* *Ich lebe/wohne in Hamburg.* *Ich wohne in der Marktstraße.*
Wie ist Ihre Adresse?	*Marktstraße 1, 20249 Hamburg.*
Wie ist Ihre Telefonnummer?	*7 8 8 6 3 9.*
Sind Sie verheiratet?	*Ja, ich bin verheiratet.* *Nein, ich bin ledig/verwitwet/geschieden.*
Haben Sie Kinder?	*Ja, eins/zwei/...* *Nein.*
Wie alt ist Ihr Kind?	*Acht.*
Wie alt sind Ihre Kinder?	*Acht und fünf.*

Ergänzen Sie das Formular.

Name: ....
Geburtsort: ....
Wohnort: ....
Telefonnummer: ....
Familienstand: ....

ORT: Hamburg ist in Deutschland.

Hamburg ist/liegt in Deutschland.
Wien ist die Hauptstadt von Österreich.
Hamburg und Kiel sind/liegen in Norddeutschland.
München ist/liegt in Süddeutschland.

Sie möchten noch mehr üben?

1 | 45-47 AUDIO-TRAINING

VIDEO-TRAINING

STRATEGIEN: Ja, genau.

Na ja, ... | *Ach, ...* | *Ja, genau.* | *Nein, falsch.*

Lernziele

Ich kann jetzt ...

A ... sagen und andere fragen: Wie geht es dir?
Wie geht es Ihnen? – Danke, sehr gut. ☺ 😐 ☹
B ... meine Familie vorstellen:
Das ist mein Vater. ☺ 😐 ☹
C ... meinen Wohnort sagen:
Ich komme aus Bosnien. Ich wohne jetzt in Deutschland. ☺ 😐 ☹
D ... bis 20 zählen: *null, eins, zwei, ...* ☺ 😐 ☹
... Fragen zu meiner Person verstehen und beantworten:
Wo sind Sie geboren? – In Madrid. ☺ 😐 ☹
... ein Formular ausfüllen:
Familienname: Flores Nevado; Vorname: Isabel; Wohnort: ... ☺ 😐 ☹
E ... einfache Informationen verstehen:
Ich bin geschieden und habe einen Sohn. ☺ 😐 ☹

Ich kenne jetzt ...

... 5 Wörter zum Thema *Familie*:

Oma, ...

... 3 Wörter zum Thema *Familienstand*:

ledig, ...

FILM

Ich heiße Esila.

Sehen Sie den Film an. Was ist richtig?
Kreuzen Sie an.

1 ○ Esila ist sechzehn.
2 ☒ Esila ist in St. Pölten geboren.
3 ○ Esila wohnt in Wien.
4 ○ Esila hat eine Schwester.
5 ○ Zafer Kartal ist Türke und spricht sehr gut Deutsch.
6 ○ Oma Nilüfer spricht gut Deutsch.
7 ○ Oma Krisztina und Opa Walter wohnen in Wien.
8 ○ Opa Walter kommt aus Ungarn.
9 ○ Oma Krisztina ist Österreicherin.

SPIEL

Kettenspiel

Bilden Sie Gruppen.
Jede/r sagt drei Sätze über sich.

PROJEKT

Kurs-Kontaktliste

1 Arbeiten Sie zu zweit. Ergänzen Sie den Fragebogen für Ihre Partnerin / Ihren Partner.

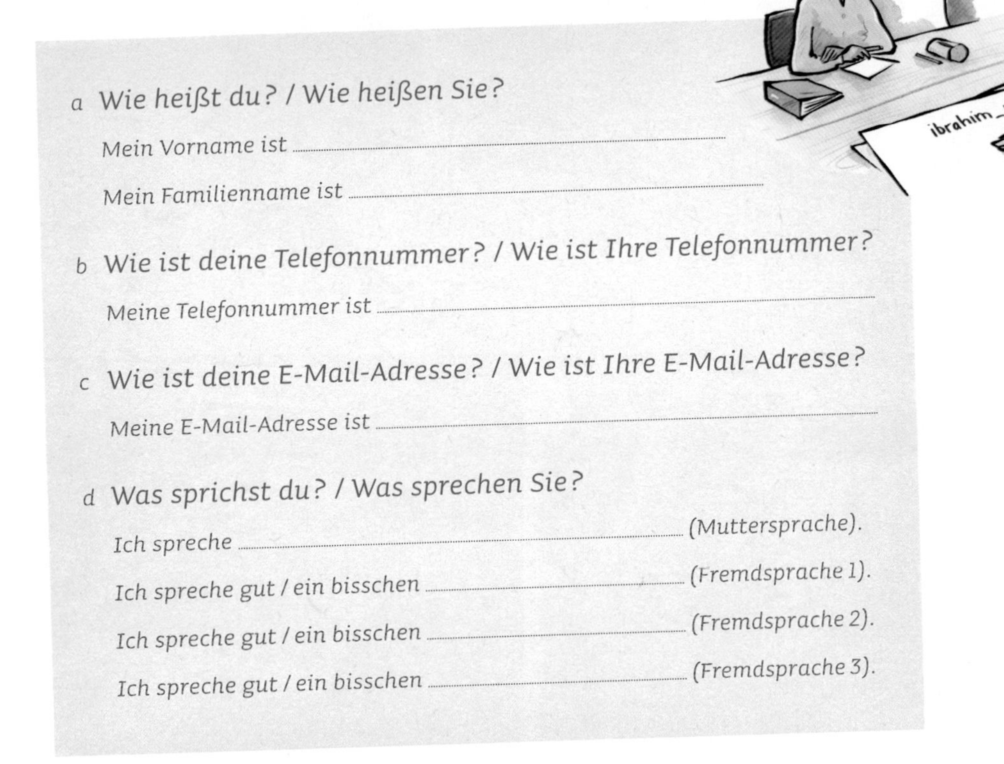

a Wie heißt du? / Wie heißen Sie?

Mein Vorname ist ....

Mein Familienname ist ....

b Wie ist deine Telefonnummer? / Wie ist Ihre Telefonnummer?

Meine Telefonnummer ist ....

c Wie ist deine E-Mail-Adresse? / Wie ist Ihre E-Mail-Adresse?

Meine E-Mail-Adresse ist ....

d Was sprichst du? / Was sprechen Sie?

Ich spreche .... (Muttersprache).

Ich spreche gut / ein bisschen .... (Fremdsprache 1).

Ich spreche gut / ein bisschen .... (Fremdsprache 2).

Ich spreche gut / ein bisschen .... (Fremdsprache 3).

2 Machen Sie eine Kontaktliste.

Vorname	Familienname	Telefonnummer	E-Mail-Adresse
Ibrahim	Saada	0170-97993410	Ibrahim_19@gmail.com

3 Im Kurs: Welche Sprachen sprechen Sie? Machen Sie eine Kursstatistik. Sammeln Sie dazu Informationen aus den Fragebogen.

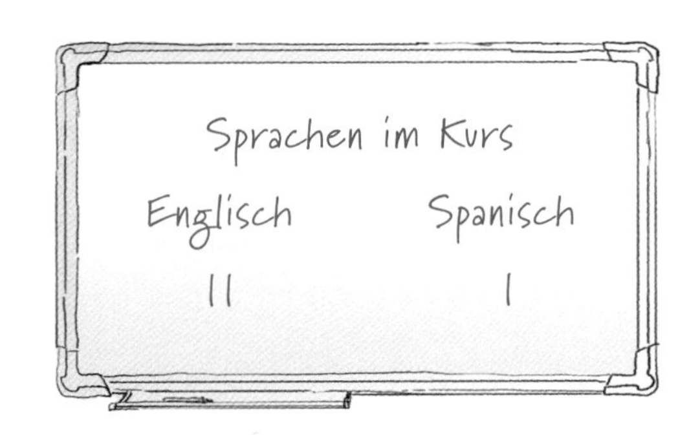

Einkaufen

1 Sehen Sie die Fotos an. Welche Wörter kennen Sie schon? Zeigen Sie.

Bananen | Butter | Eier | Mehl | Milch | Zucker | Pfannkuchen | Schokolade | ...

1 🔊 48-55

2 Was ist richtig? Hören Sie und kreuzen Sie an.

a Lara und Sofia haben ☒ Milch. ○ Butter. ○ Zucker. ○ Pfannkuchen. ○ Mehl.
b Sie brauchen ○ Bananen. ○ Eier. ○ Schokolade. ○ Pfannkuchen.
c Lili kauft ○ Bananen. ○ Eier. ○ Schokolade. ○ Schokoladeneier.
d Herr Meier hat ○ Bananen. ○ Eier. ○ Milch. ○ Schokolade.

Laras Film

1 🔊 48-55

3 Welches Foto passt? Ordnen Sie zu. Hören Sie dann noch einmal und vergleichen Sie.

	Foto
a Möchtest du Pfannkuchen?	②
b Nein, wir haben kein Ei.	◯
c Ich habe Hunger.	◯
d Superlecker ... Bananenpfannkuchen!	◯
e Kaufst du bitte zehn Eier?	◯
f Das ist ein Schokoladenei.	◯
g Das macht dann zusammen 3 Euro 87.	◯
h Kann ich dir helfen?	◯

4 Gibt es in Ihrem Land auch Pfannkuchen?
Wie heißen *Pfannkuchen* in Ihrer Sprache? Erzählen Sie.

Wir haben in Sri Lanka auch Pfannkuchen. Sie heißen „Hoppers".

A Haben wir Zucker?

A1 Ordnen Sie zu.

◯ Fleisch	◯ Tee	⑧ Reis
◯ Bier	◯ Brot	◯ Zucker
◯ Käse	◯ Wein	⑩ Fisch
◯ Salz	◯ Mineralwasser	◯ Mehl

1 🔊 56 **A2 Sehen Sie das Bild an.**
Hören Sie und variieren Sie.

◆ Haben wir Zucker ?
○ Ja. 😊

◆ Haben wir Brot ?
○ Nein. 😢

Varianten: Mehl Reis Bier Mineralwasser Fisch Fleisch Wein

Haben wir Zucker? | Ja. / Nein.

1 🔊 57 **A3 Hören Sie und spielen Sie weitere Gespräche.**

◆ Entschuldigung.
Haben Sie Eier?
○ Eier? Ja, natürlich.
Hier, bitte.
◆ Und haben Sie auch Milch?
○ Nein, tut mir leid.

A4 Einkaufszettel

a Was haben Sie zu Hause?
Zeichnen Sie
oder schreiben Sie.

b Fragen Sie Ihre Partnerin / Ihren Partner. Was braucht sie/er?
Schreiben Sie dann einen Einkaufszettel für Ihre Partnerin / Ihren Partner.

◆ Kim, brauchst du Käse?
○ Nein.

◆ Brauchst du Reis?
○ Ja.

Kims Einkaufszettel
– Reis
– ...

B Das ist doch **kein** Ei.

3

1 🔊 58 **B1 Hören Sie und ordnen Sie zu.**

ein ~~kein~~ keine

◆ Das ist doch kein Ei!
Das ist Schokolade.
○ Nein, das ist ……… Schokolade. Das ist ……… Schokoladenei.

• ein	Apfel	• kein	Apfel
• ein	Ei	• kein	Ei
• eine	Birne	• keine	Birne

B2 Was ist das? Zeigen Sie und sprechen Sie. Arbeiten Sie auch mit dem Wörterbuch.

• ein Ei • eine Banane • ein Apfel • eine Orange • ein Kuchen • ein Kaffee • ein Saft • ein Brötchen • ein Würstchen • eine Birne • eine Tomate • eine Kiwi

◆ Wie heißt das auf Deutsch?
○ Das ist eine Orange.
◆ Und was ist das?
○ Das ist ein Würstchen.

B3 Ergänzen Sie.

a
Das ist kein Apfel.
Das ist eine Tomate.

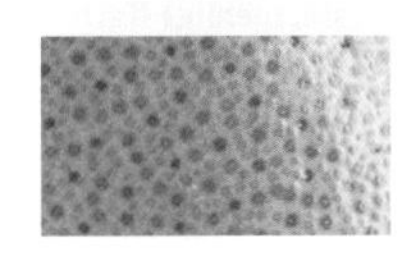

b
Das ist keine Kiwi.
Das ist ……… .

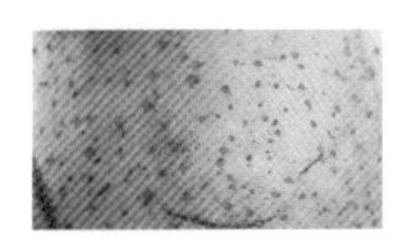

c
Das ist keine Tomate.
Das ist ……… .

d
Das ist kein Kuchen.
Das ist ……… .

e
Das ist kein Würstchen.
Das ist ……… .

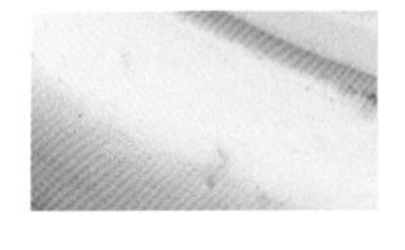

f
Das ist keine Birne.
Das ist ……… .

B4 Spiel: Zeichnen Sie. Die anderen raten: Was ist das?

◆ Ist das ein Würstchen?
○ Nein, das ist kein Würstchen.
◆ Eine Banane?
○ Ja, genau. Das stimmt.

C Kaufst du bitte zehn **Eier**?

1 ◀)) 59 **C1 Hören Sie und ordnen Sie zu.**

Eier Bananen ~~Pfannkuchen~~

A

B

C

zehn .... zwei .... zwanzig Pfannkuchen

C2 Ordnen Sie zu.

~~Kiwis~~ ~~Äpfel~~ Orangen Brote Eier
Bananen Tomaten Birnen Würstchen

Im Einkaufswagen sind
- Kiwis
- …

Im Einkaufswagen sind keine
- Äpfel
- …

ein	Apfel	Äpfel
ein	Kuchen	Kuchen
ein	Brot	Brote
ein	Ei	Eier
eine	Banane	Bananen
eine	Kiwi	Kiwis

kein	Apfel	keine Äpfel
kein	Ei	keine Eier
keine	Kiwi	keine Kiwis

C3 Suchen Sie im Wörterbuch und ergänzen Sie.

eine Kartoffel ein Joghurt eine Zwiebel ein Fisch

zwei Kartoffeln
drei …
vier …

die Kartoffel

die Kar|tof|fel [kar'tɔfl]; -, -n: *außen braunes, innen gelbes Gemüse, das unter der Erde wächst:* feste, mehlige Kartoffeln; rohe, gekochte Kartoffeln; Kartoffeln schälen, pellen, abgießen. *Syn.:* Erdapfel (bes. österr.). *Zus.:* Speisekartoffel, Winterkartoffel.

C4 Suchbild: Was ist in Regal B anders?
Sprechen Sie mit Ihrer Partnerin / Ihrem Partner und finden Sie die sieben Unterschiede.

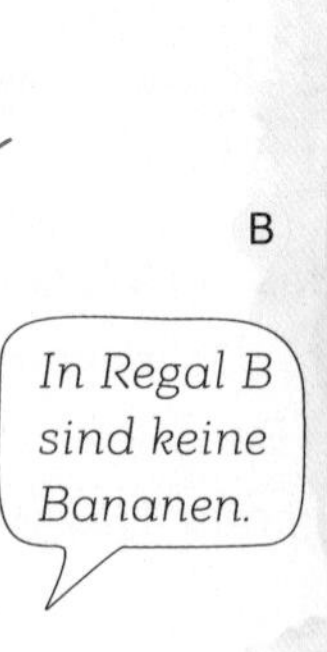

SCHON FERTIG? Was kaufen Sie oft? Suchen Sie die Wörter im Wörterbuch.

D Preise und Mengenangaben

1 60 D1 Zahlen: Hören Sie und verbinden Sie.

a 0,20 €	dreißig Cent		f 0,70 €	siebzig Cent
b 0,30 €	sechzig Cent		g 0,80 €	hundert Cent / ein Euro
c 0,40 €	zwanzig Cent		h 0,90 €	achtzig Cent
d 0,50 €	fünfzig Cent		i 1,00 €	neunzig Cent
e 0,60 €	vierzig Cent			

80 achtzig — 85 fünfundachtzig — 41 ein~~s~~undvierzig

1 61-63 D2 Preise: Was ist richtig? Hören Sie und kreuzen Sie an.

a ☒ Brötchen: 0,35 € ○ Brötchen: 0,30 € ○ Brötchen: 0,10 €
b ○ Eier: 0,20 € ○ Eier: 1,20 € ○ Eier: 2,20 €
c ○ Fisch: 0,99 € ○ Fisch: 2,99 € ○ Fisch: 2,00 €

D3 Sehen Sie den Prospekt an. Fragen Sie und antworten Sie.

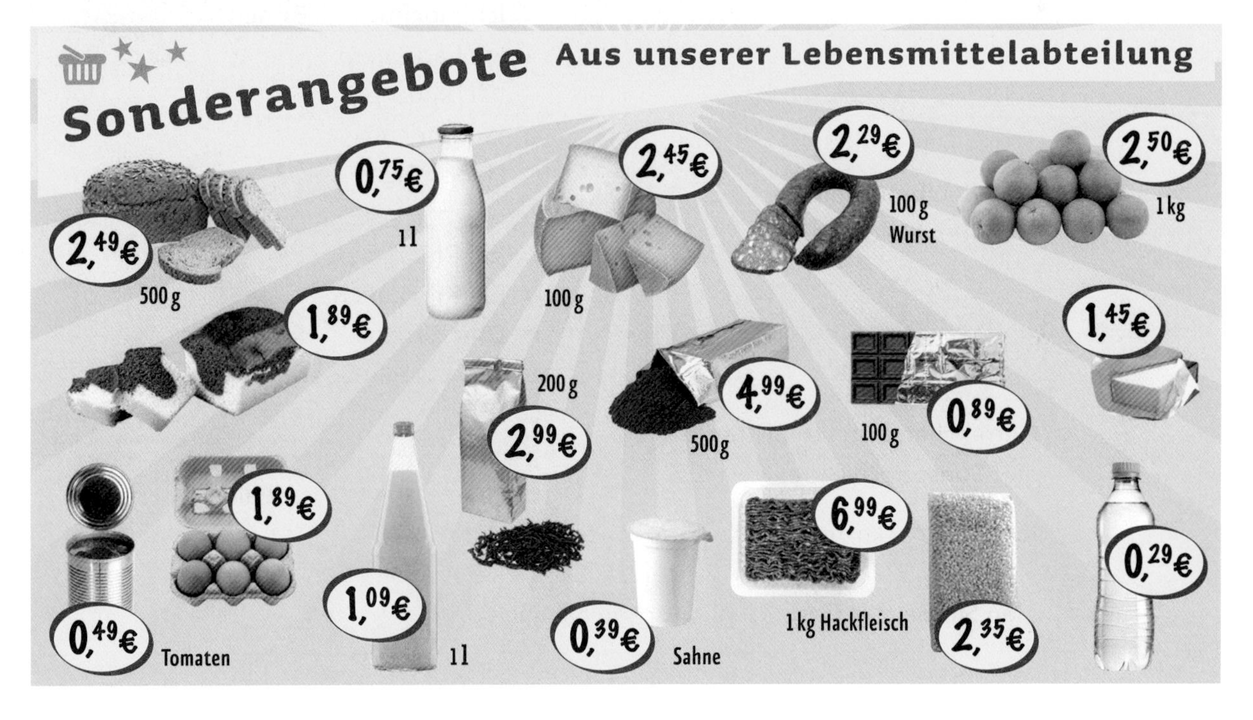

◆ Was kosten 100 Gramm Käse?
○ 100 Gramm Käse kosten ...
◆ Wie viel kostet ein Kilo Hackfleisch?
○ ...

1 kg = ein Kilo(gramm)	eine Flasche Saft	*Was kostet* / *Wie viel kostet*	*ein Kilo Orangen?*
100 g = 100 Gramm	eine Packung Tee		
500 g = ein Pfund	eine Dose Tomaten	*Was kosten* / *Wie viel kosten*	*100 Gramm Käse / sechs Eier?*
1 l = ein Liter	ein Becher Sahne		

E Einkaufen und kochen

1 ◀)) 64 E1 Auf dem Markt

a Was kauft Herr Graf? Hören Sie und kreuzen Sie an. ○ Kartoffeln. ○ Äpfel. ○ Eier.

b Wer sagt das? Kreuzen Sie an und hören Sie dann noch einmal.

	Verkäuferin	*Kunde*
Guten Tag. Ich hätte gern Kartoffeln.	○	☒
Gern. Wie viel möchten Sie denn?	○	○
Ich brauche auch noch Äpfel.	○	○
Ja, bitte. Haben Sie Eier?	○	○
Nein, tut mir leid.	○	○
Nein, danke. Das ist alles.	○	○

E2 Rollenspiel

a Was brauchen Sie heute? Spielen Sie ein Gespräch mit Ihrer Partnerin / Ihrem Partner.

Verkäuferin/Verkäufer

◆ Bitte schön? Kann ich Ihnen helfen?

Kundin/Kunde

○ Ich möchte | Birnen.
○ Ich hätte gern | Spinat.
○ Ich brauche | Brötchen.
○ Wo finde ich | ...?
○ Haben Sie | ...?

◆ Wie viel (brauchen/möchten Sie denn)?

○ Ein Pfund Brot.
○ Ein Kilo Lauch.
○ Drei Birnen.
○ 100 Gramm Speck.
○ ...

◆ Gern. / Hier, bitte. (Möchten Sie) Sonst noch etwas?

○ Nein, danke. Das ist alles.

◆ (Das macht/kostet dann) ... Euro, bitte.

„möchte“	
ich	möchte
du	möchtest
er/sie	möchte
wir	möchten
ihr	möchtet
sie/Sie	möchten

b Spielen Sie weitere Gespräche. Tauschen Sie auch die Rollen.

		Verkäuferin/Verkäufer	Kundin/Kunde
1	IM OBST- UND GEMÜSELADEN	3 Birnen kosten 1,40 €. 1 Kilo Lauch kostet 3,60 €. 1 Pfund Spinat kostet 1,40 €.	Sie möchten Obst und Gemüse kaufen: 3 Birnen, 1 Kilo Lauch und 1 Pfund Spinat.
2	IN DER BÄCKEREI 	Ein Brötchen kostet 0,30 €. 1 Pfund Brot kostet 1,50 €.	Sie brauchen 10 Brötchen und 1 Pfund Brot.
3	AN DER FLEISCHTHEKE	100 Gramm Hackfleisch kosten 0,50 €. 100 Gramm Speck kosten 1,60 €.	Sie möchten 1 Kilo Hackfleisch und 100 Gramm Speck.

E3 Teigtaschen: internationale Rezepte

a Wo heißen Teigtaschen so? Lesen Sie den Text und ergänzen Sie.

Maultaschen Deutschland

Jiǎozi ....

Pelmeni ....

Mantı ....

b Lesen Sie noch einmal. Was brauchen Sie für alle Teigtaschen? Kreuzen Sie an.

○ Mehl ○ Eier ○ Zwiebeln ○ Hackfleisch ○ Salz ○ Wasser

Teigtaschen   Kategorie Rezepte

Rudi, Heilbronn

Schwäbische Maultaschen (weiter)

Hallo, ich bin Rudi. Ich komme aus Baden-Württemberg. Hier ist mein Rezept für „Schwäbische Maultaschen"*:

** So heißen die Teigtaschen in Süddeutschland.*

Teig: Sie brauchen 750 g Mehl, sechs Eier, Wasser und Salz. Füllung: Sie brauchen zwei Brötchen, 50 g Lauch, 250 g Spinat, 50 g Speck, eine Zwiebel, ein Kilo Hackfleisch, vier Eier, Salz, Pfeffer, Muskat und Majoran.

Lian, Schanghai

Jiǎozi (weiter)

Guten Tag, mein Name ist Lian. Ich komme aus Schanghai. In China haben wir natürlich auch Teigtaschen. Sie heißen Jiǎozi.

Möchten Sie Original Jiǎozi machen? Sie brauchen nur 400 g Mehl, 100 ml Wasser und für die Füllung Hackfleisch.

Oleg, Nischni Nowgorod

Pelmeni (weiter)

Hallo, ich bin Oleg und komme aus Russland. Ich lebe in Nischni Nowgorod und ich liebe Teigtaschen! Hier heißen sie Pelmeni. Das ist mein Pelmeni-Rezept:

Sie brauchen 400 g Mehl, zwei Eier, Wasser und Salz für den Teig. Für die Füllung brauchen Sie 400 g Hackfleisch, Butter und Sahne, zwei Zwiebeln, Knoblauch, Salz, Pfeffer und Schmand.

Günay, Berlin

Mantı (weiter)

Hallo! Ich bin Günay und komme aus der Türkei. Ich lebe in Berlin und in Izmir. Wir Türken haben auch Teigtaschen. Sie heißen Mantı. Hier kommt mein Mantı-Rezept:

Sie brauchen 375 g Mehl, 100 ml Wasser, ein Ei, eine Zwiebel, 250 g Hackfleisch, Petersilie, Knoblauch, Salz und Pfeffer, ein wenig Butter und 600 g Joghurt.

E4 Kennen Sie auch Teigtaschen?

Wie heißen sie in Ihrem Land?
Was brauchen Sie für die Teigtaschen?
Schreiben Sie und zeigen Sie ein Foto.

Georgien: Chinkali
Teig: Mehl, Wasser, Salz, Ei
Füllung: Hackfleisch, Zwiebeln, ...

Grammatik

1 Ja-/Nein-Frage ÜG 10.03

Frage			Antwort
Position 1			
Haben	wir	Zucker?	Ja.
Brauchst	du	Reis?	Nein.

Merke:

Wir haben Zucker.

Haben wir Zucker?

2 Fragen: Ja-/Nein-Frage und W-Frage ÜG 10.03

Frage			Antwort
	Position 2		
Was	brauchen	Sie?	Eier.
Brauchen	Sie	Salz?	Ja./Nein.

3 Artikel: indefiniter Artikel und Negativartikel ÜG 2.01–2.03

	unbestimmter Artikel	Negativartikel
	Das ist ...	
Singular	• ein Apfel.	• kein Apfel.
	• ein Ei.	• kein Ei.
	• eine Banane.	• keine Banane.
	Das sind ...	
Plural	• – Birnen.	• keine Birnen.

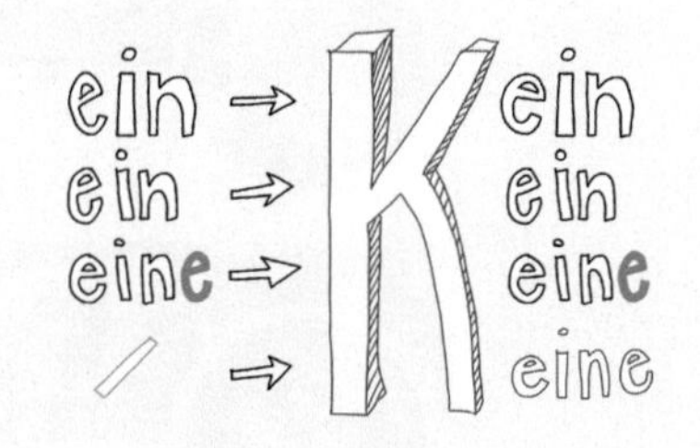

4 Nomen: Singular und Plural ÜG 1.02

Singular	Plural
• ein Apfel	• Äpfel
• ein Kuchen	• Kuchen
• ein Brot	• Brote
• ein Ei	• Eier
• eine Banane	• Bananen
• eine Kiwi	• Kiwis

Was kaufen Sie oft? Was kaufen Sie nie? Notieren Sie.

Ich kaufe oft:
Äpfel ...

Ich kaufe nie:
Würstchen ...

5 Verb: Konjugation ÜG 5.10

„möchte"	
ich	möchte
du	möchtest
er/sie	möchte
wir	möchten
ihr	möchtet
sie/Sie	möchten

Kommunikation

NACHFRAGEN: Wie heißt das auf Deutsch?

Was ist das?
Das ist doch kein Ei. — *Das ist eine Orange.*
Ist das ein Würstchen? — *Ja, genau. Das stimmt. / Nein.*
Wie heißt das auf Deutsch? — *(Das ist ein) Apfel.*

BEIM EINKAUFEN: Bitte schön?

Kann ich Ihnen helfen? — *Wo finde ich Brötchen?*
Kann ich dir helfen? — *Ich hätte gern Kartoffeln.*
Bitte schön? — *Haben Sie Eier?*
Ich möchte Birnen.
Wie viel (brauchen/möchten Sie denn)? — *Ein Kilo.*
Was / Wie viel kostet ein Kilo Orangen? — *Das macht/kostet (dann) 2 Euro 50, bitte.*
Was / Wie viel kosten 100 Gramm Käse? — *100 Gramm Käse kosten 2 Euro 45.*
Gern. / Hier, bitte. (Möchten Sie) Sonst noch etwas? — *Ja, bitte. / Nein, danke. Das ist alles.*

MENGENANGABEN: ein Liter Milch

100 Gramm Käse | eine Flasche Saft | ein Liter Milch
ein Pfund Brot | eine Packung Tee | ein Becher Sahne
ein Kilo Orangen | eine Dose Tomaten

PREISE: ein Euro zehn

0,10 € = zehn Cent | 1,00 € = ein Euro | 1,10 € = ein Euro zehn

STRATEGIEN: Ja, bitte.

Ja, natürlich. | Nein, tut mir leid. | Ja, bitte. | Nein, danke.

Schreiben Sie Fragen und Antworten.

Meine Frage: Was ist das?
Antwort: Das ist ... .
Meine Frage: ....?
Antwort: ....

Schreiben Sie ein Gespräch.

V: Bitte schön?
K: ...
V:
K:

Verkäufer = V, Kunde = K

Sie möchten noch mehr üben?

1 | 65-67 AUDIO-TRAINING

VIDEO-TRAINING

Lernziele

Ich kann jetzt ...

A ... einen Einkaufszettel schreiben:
Käse, Tee, Eier ... ☺ 😐 ☹

B ... nach einem Wort fragen:
Wie heißt das auf Deutsch? ☺ 😐 ☹

C ... Mengen nennen:
zwei Bananen, ein Kilo Kartoffeln ... ☺ 😐 ☹

D ... Preise und Mengen von Lebensmitteln sagen und verstehen:
Was kosten 100 Gramm Käse? – 2,45 €. ☺ 😐 ☹

E ... sagen: Das möchte ich kaufen:
Kann ich Ihnen helfen? – Ich hätte gern Kartoffeln. ☺ 😐 ☹
... ein einfaches Rezept lesen ☺ 😐 ☹

Ich kenne jetzt ...

... 8 Obst- und Gemüsesorten:

Tomate, ...

... 5 Mengenangaben:

Kilogramm, Becher, ...

PROJEKT

Das Lebensmittel-Alphabet

Sammeln Sie Lebensmittel von A bis Z. Arbeiten Sie auch mit dem Wörterbuch.

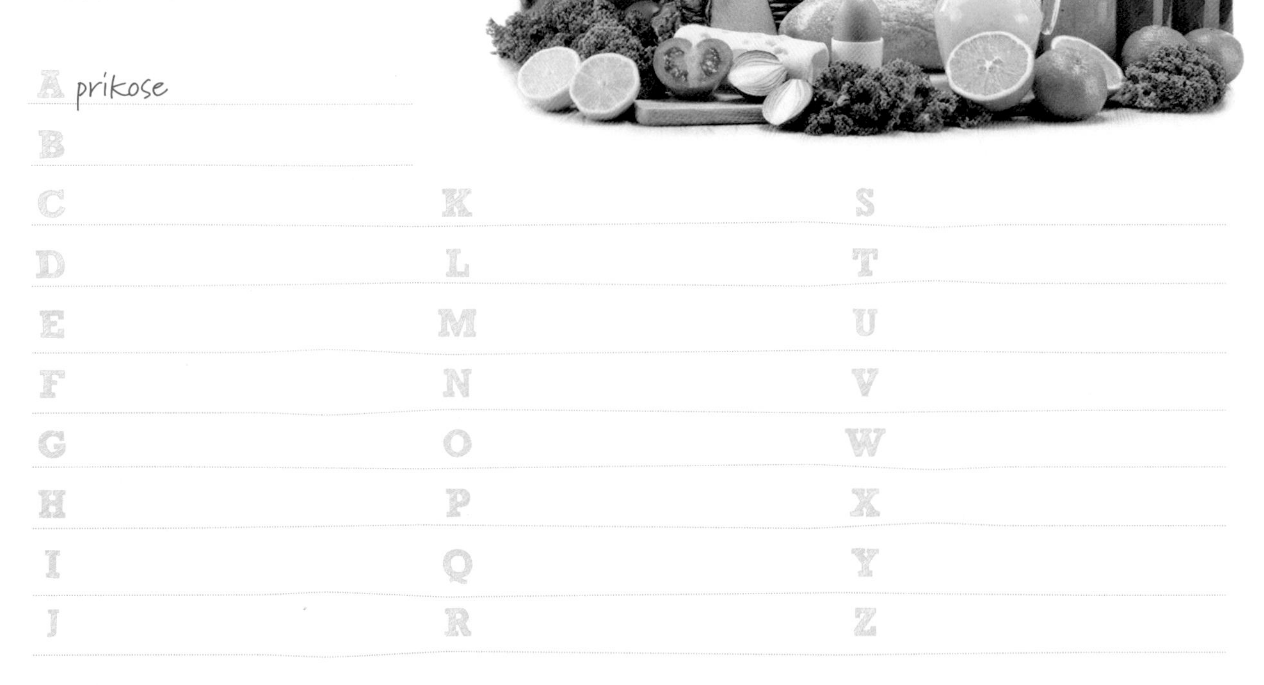

A prikose
B
C
D
E
F
G
H
I
J
K
L
M
N
O
P
Q
R
S
T
U
V
W
X
Y
Z

FILM

Opas Kartoffelsalat

1 Sehen Sie den Film an. Was braucht Frau Hagen? Ergänzen Sie den Einkaufszettel.

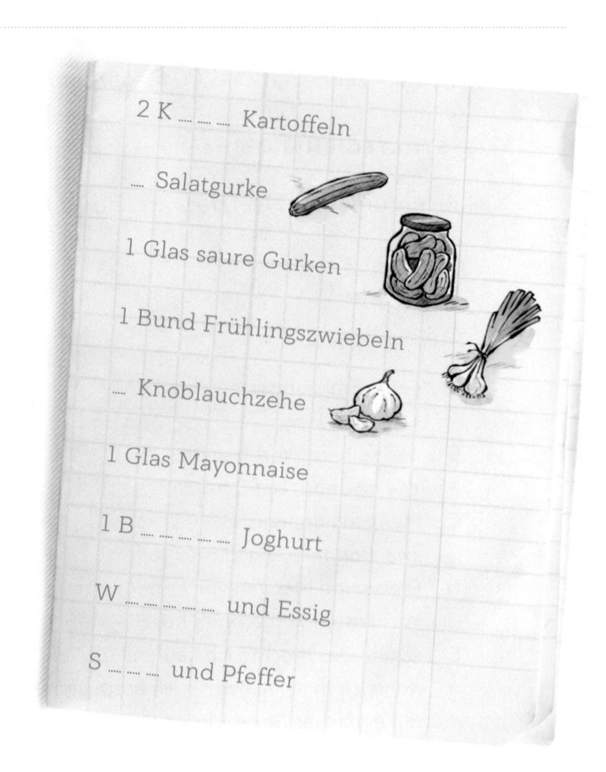

2 K ...... Kartoffeln
... Salatgurke
1 Glas saure Gurken
1 Bund Frühlingszwiebeln
... Knoblauchzehe
1 Glas Mayonnaise
1 B .... Joghurt
W .... und Essig
S ...... und Pfeffer

2 Was meinen Sie? Ist Opas Kartoffelsalat gut?

PROJEKT

Ein Gericht aus meinem Heimatland

1 Was brauchen Sie? Schreiben Sie einen Einkaufszettel.

Kartoffeln, Zwiebeln, Eier, Salz ...

2 Kochen Sie das Gericht zu Hause und machen Sie ein Foto. Zeigen Sie das Foto im Kurs.

3 Machen Sie nun ein „Kurs-Kochbuch".

COMIC

Der kleine Mann: Kiosk

1 Lesen Sie den Comic.

2 Schreiben Sie die Geschichte neu.

◇ Haben Sie Käsebrötchen?
● ...

Käsebrötchen Wurstbrötchen Fischbrötchen Kuchen Hunger

Meine Wohnung

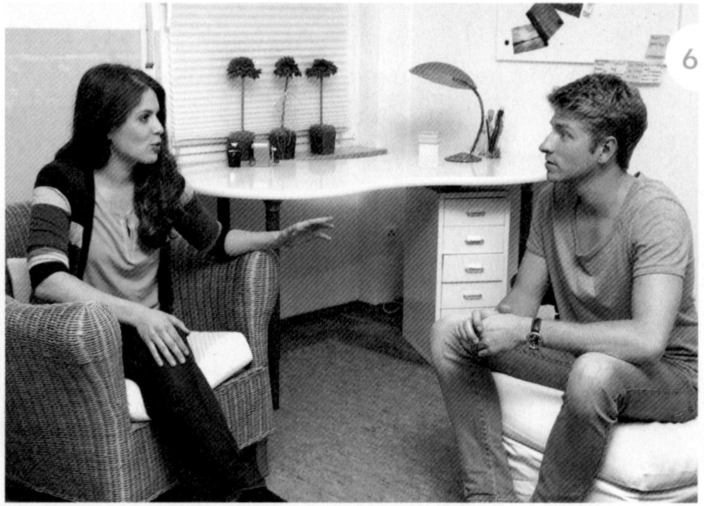

1 Sehen Sie die Fotos an.

a Was meinen Sie? Wo sind Tim und Lara? ○ in Laras Wohnung ○ in Tims Wohnung

b Zeigen Sie. • eine Lampe • ein Zimmer • eine Küche • ein Bad

c Was meinen Sie? Kreuzen Sie an.

1 Die Lampe ist

☒ alt.  ○ neu. 

2 Das Bad ist

○ groß.  ○ klein. 

3 Laras Zimmer ist

○ hell.  ○ dunkel. 

4 Laras Zimmer ist

○ teuer.  ○ billig.

5 Die Küche ist

○ schön. 

○ hässlich. 

Laras Film

1 ◀)) 68-75

2 Hören Sie und vergleichen Sie.

1 ◀)) 68-75

3 Was ist richtig? Hören Sie noch einmal und kreuzen Sie an.

a ○ Walter hat eine Lampe für Lara.
b ○ Walter kennt Tim.
c ○ Lara, Sofia und Lili wohnen zusammen.
d ○ Laras Zimmer ist groß, hell und teuer.
e ○ Tims Zimmer ist dunkel, hässlich und teuer.
f ○ Walter wohnt auch in der Wohnung.
g ○ Sofia ist die Tochter von Walter und die Mutter von Lara.

A Das Bad ist dort.

A1 Sofias Traumwohnung

Ordnen Sie zu.

- ○ das Schlafzimmer
- ○ das Bad
- ○ der Flur
- ○ das Arbeitszimmer
- ○ die Küche
- 10 Laras Zimmer
- ○ das Kinderzimmer
- ○ die Toilette
- ○ der Balkon
- ○ das Wohnzimmer

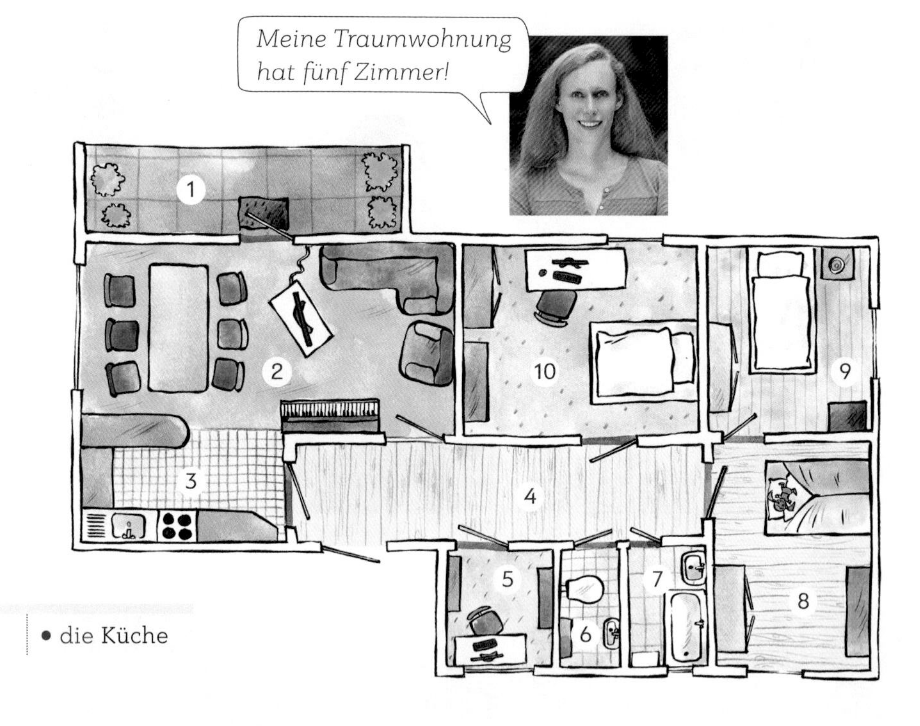

der Flur	das Bad	die Küche

A2 Das ist das Haus.

1 ◀)) 76 **a** Hören Sie das Gespräch und ergänzen Sie *der*, *das* oder *die*.

ein Balkon	→	der Balkon
ein Bad	→	das Bad
eine Küche	→	die Küche

◆ Das ist das .... Haus. Schön, nicht?
○ Na ja. Schön und teuer.
Sagen Sie mal, ist hier auch ein Arbeitszimmer?
◆ Ja, natürlich! .... Arbeitszimmer ist dort.
▲ Und ist hier auch eine Küche?
◆ Natürlich. Hier ist .... Flur.
Und dort ist .... Küche.

b Variieren Sie.

◆ Sagen Sie mal, ist hier auch ein Arbeitszimmer ?
○ Ja, natürlich! Das Arbeitszimmer ist dort.

Wo? | Hier. ●
Dort. → ●

Varianten:

das Schlafzimmer | die Küche | das Bad | die Toilette | der Balkon

A3 Meine Traumwohnung: Zeichnen Sie und sprechen Sie.

◆ Das ist meine Wohnung.
○ Oh, schön! Wo ist denn die Küche?
◆ Hier.
○ Ist das hier das Bad?
◆ Ja, das hier ist das Bad.

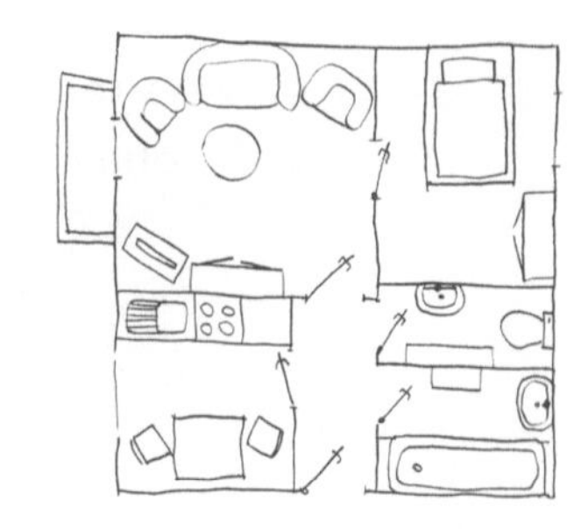

B Das Zimmer ist sehr schön. Es kostet ...

1 ◀)) 77 B1 Was ist richtig? Hören Sie und kreuzen Sie an.

◆ Das Zimmer ist ☒ sehr ○ nicht schön. Aber es ist teuer, oder?
○ Nein. Das Zimmer ist ○ sehr ○ nicht teuer.
Es kostet 150 Euro.
◆ 150 Euro? Du, das ist aber ○ sehr ○ nicht billig.
Mein Zimmer kostet 350 Euro im Monat.

	teuer.
Das Zimmer ist	sehr teuer.
	nicht teuer.

• der Balkon	→	er
• das Bad	→	es
• die Wohnung	→	sie

B2 Eine neue Wohnung

a Lesen Sie die Nachrichten und markieren Sie wie im Beispiel.

Hallo Felix, wie ist die neue Wohnung?

Nicht so schön. Sie ist groß, aber sehr dunkel.

Und das Bad?

Es ist klein und auch dunkel. ☹

Ist dort auch ein Flur?

Ja. Er ist sehr klein.

b Lesen Sie die Nachrichten und ergänzen Sie *er*, *es* oder *sie*.

Und? Wie ist dein Zimmer in Leipzig?

.... ist klein, aber sehr hell. Der Balkon ist schön. .... ist sehr groß.

Was, ein Zimmer mit Balkon? Super!

Die Küche ist aber nicht so schön. .... ist klein und hässlich.

B3 Partnerspiel: Wo wohne ich? Raten Sie.

◆ Wo wohne ich? Mein Haus ist sehr schmal.
Es ist nicht teuer. Und es ist schön.
○ Ist es hell?
◆ Nein, es ist dunkel.
○ Wohnst du in Haus D?
◆ Ja, richtig.

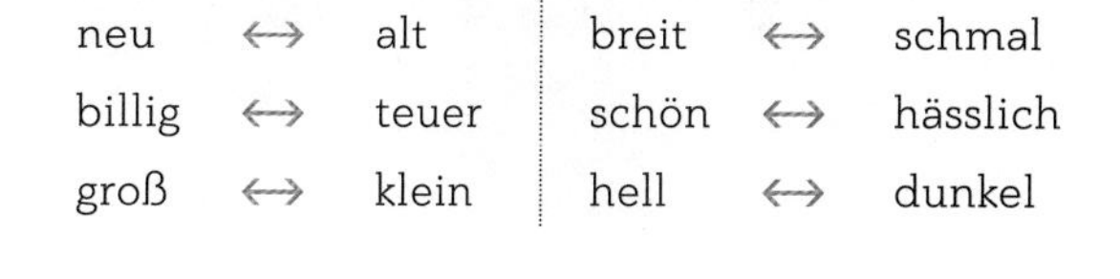

neu	↔	alt	breit	↔	schmal
billig	↔	teuer	schön	↔	hässlich
groß	↔	klein	hell	↔	dunkel

A

B

C

D

E

F

C Die **Möbel** sind sehr schön.

C1 Was ist was? Ordnen Sie zu und ergänzen Sie.

~~die Lampe~~ · ~~der Schrank~~ · der Kühlschrank · das Sofa · der Tisch · der Stuhl · das Bett · die Waschmaschine · der Fernseher · ~~die Dusche~~ · der Herd · die Badewanne · das Waschbecken · der Teppich · das Regal · der Sessel

C2 Wie gefallen dir ...?

1 78 **a** Hören Sie und ergänzen Sie *der, das* oder *die.*

◆ Hier sind Stühle und Tische.
Wie gefallen Ihnen denn die Stühle?
○ Sehr gut. Die Farbe ist sehr schön.
▲ Das finde ich auch. Und hier – wie gefällt dir .... Tisch?
○ Nicht so gut. Er ist sehr groß.
Aber hier, wie gefällt dir .... Teppich?
▲ Gut. Er ist sehr schön.
○ Schau mal! Wie gefällt dir .... Lampe dort?
▲ Ganz gut. Sie ist sehr modern!
Sagen Sie, wo sind denn .... Betten?
◆ Sie sind dort.
▲ Ah ja, danke.
◆ Schauen Sie, hier. Wie gefällt Ihnen .... Bett hier?
○ Es geht.

der Stuhl		Stühle
der Tisch	→ • die/zwei	Tische
–		Möbel

b Markieren Sie in a und ergänzen Sie.

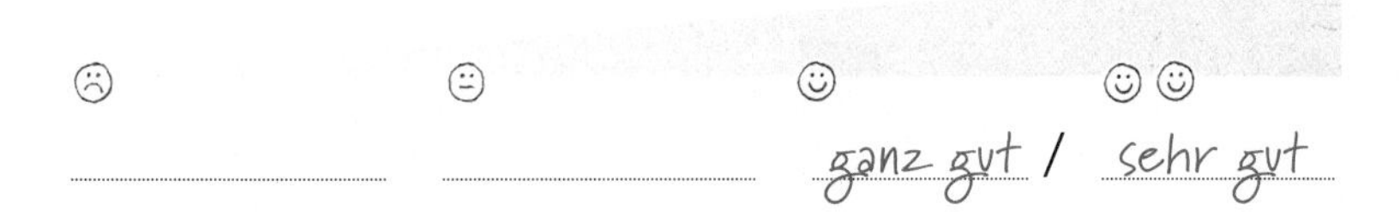

Wie gefällt dir/Ihnen der Tisch?
Wie gefallen dir/Ihnen die Betten?

c Sehen Sie die Möbel in C1 an und sprechen Sie.

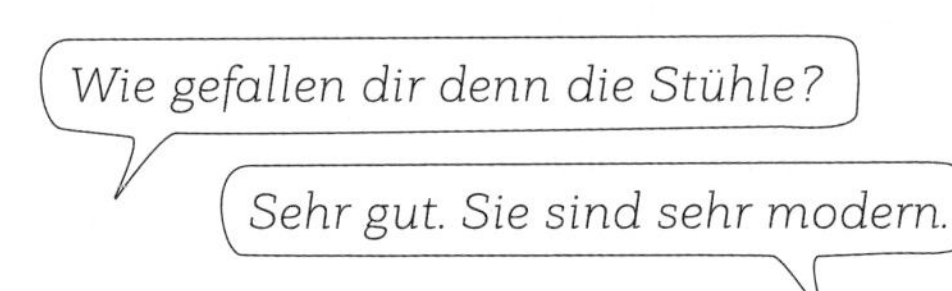

Wie gefällt dir der Teppich?
Nicht gut. Er ist hässlich.

C3 In Ihrer Wohnung

Sprechen Sie mit Ihrer Partnerin / Ihrem Partner über Ihre Möbel.

◆ Mein Kühlschrank ist dunkelrot.
Und dein Kühlschrank?
○ Mein Kühlschrank ist weiß.
Meine Stühle sind schwarz.
Und deine ...?
◆ Meine ...

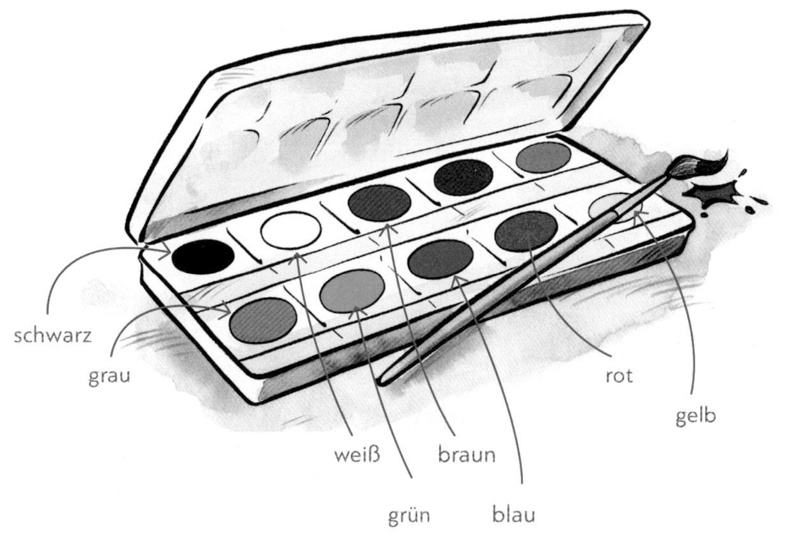

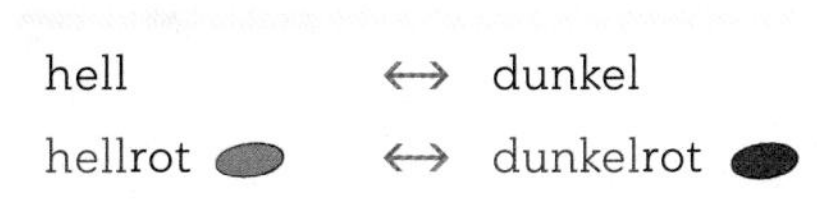

D Wohnungsanzeigen

1 🔊 79 **D1 Hören Sie und sprechen Sie nach.**

100	200	300	400	500	600	700
(ein-)hundert	zweihundert	dreihundert	vierhundert	fünfhundert	sechshundert	siebenhundert

800	900	1.000	10.000	100.000	1.000.000
achthundert	neunhundert	tausend	zehntausend	hunderttausend	eine Million

1 🔊 80-82 **D2 Was ist richtig? Hören Sie und kreuzen Sie an.**

1 Was kostet das Sofa?	2 Wie ist die Telefonnummer?	3 Wie groß ist das Kinderbett?
○ 92 €	○ 708 101	○ 60 cm x 120 cm
○ 299 €	○ 107 801	○ 60 cm x 160 cm
○ 2.099 €	○ 701 108	○ 160 cm x 120 cm

1 cm = ein Zentimeter

60 x 120 cm = sechzig mal hundertzwanzig Zentimeter

D3 Diktieren Sie Ihrer Partnerin / Ihrem Partner. Sie/Er schreibt.

Meine Nummer zu Hause ist ...

Meine Handynummer ist ...

Meine Nummer bei der Arbeit ist ...

D4 Lesen Sie die Anzeigen und markieren Sie in zwei Farben.

Wie groß ist die Wohnung?
Was kostet sie im Monat?

A
Nettes Ehepaar mit Kind sucht eine **3-4-Zimmer-Wohnung mit Garten für 1 Jahr, bis 1.100,– € warm**, Tel. 0179/770 22 61

1 qm / 1 m² = ein Quadratmeter

B
Vermiete Apartment, 36 m², großer Wohnraum, neue Küche, 440,– €, Nebenkosten 60,– €, 3 Monatsmieten Kaution, Tel. 23 75 95

C
Super: 3-Zimmer-Wohnung, 13. Stock, ca. 60 m², Küche, Bad, **von privat**, 950 Euro, Tel. 08161/88 75 80, ab 19 Uhr

D
!! Frau (35 Jahre) sucht ab sofort **2-Zi.-Whg.** mit Balkon in Germering bis **max. 750 € Warmmiete.** Ich freue mich auf Ihren Anruf unter Telefon 0175 / 657 80 57 37 !!

E
Schöne möblierte **1-Zi.-Wohnung,** ca. 33 m², Balkon, TV, Einbauküche, 588,– € + Garage, Tel. 0179 / 201 45 93

D5 Sie suchen eine Wohnung. Welche Anzeige passt? Ergänzen Sie.

a Sie möchten eine Wohnung mit Balkon. E
b Sie möchten nur 400 bis 500 Euro Miete bezahlen. ......
c Sie brauchen drei Zimmer. ......

SCHON FERTIG? Sie suchen eine Wohnung. Schreiben Sie eine Anzeige.

E Am Telefon

4

1 83 **E1 Was ist richtig? Hören Sie das Telefongespräch und kreuzen Sie an.**

a Wer verkauft etwas? ○ Frau Häusler ○ Herr Schuster
b Was verkauft er/sie? ○ Computertisch ○ Schreibtisch

1 83 **E2 Hören Sie noch einmal und ordnen Sie die Fragen zu.**

Sind Sie heute zu Hause? ~~Welche Farbe hat der Tisch?~~ Und wie groß ist er? Und wo wohnen Sie, bitte?

Schreibtisch, sehr schön,
nur ein Jahr alt. 120 €.
Tel.: 089/ 83 81 293

◆ Schuster. Hallo.
○ Hallo, hier ist Häusler. Sie verkaufen doch einen Schreibtisch, richtig?
◆ Stimmt.
○ Gut. *Welche Farbe hat der Tisch?*
◆ Also, der Tisch ist dunkel, dunkelbraun.
○ Aha, das ist gut, ja. ....
◆ Ungefähr zwei Meter lang und 60 Zentimeter breit.
○ Hm ... Wie lang ist er denn genau?
◆ Na ja, genau ist er zwei Meter und zwei Zentimeter lang.
○ Aha, gut! Ich möchte den Tisch gern ansehen. ....
◆ Ja, bin ich.
○ ....
◆ In der Schellingstraße 76.

1 Meter (m) = 100 Zentimeter (cm)

E3 Wählen Sie eine Anzeige und spielen Sie ein Telefongespräch.

Von privat: Sofa, dunkelrot
2 m lang
Preis: 150 Euro
Tel. 97 35 63

Fernseher
nur 120 €!
schwarz,
3 Jahre alt
wie neu
Tel. 0174/93 12 586

Kühlschrank
1 Jahr alt,
200 Euro,
85 cm hoch
Tel. 202/5123

Guten Tag. Ist der/das ... noch da?
Wie groß/breit/hoch/alt ist es/er denn?
Was kostet es/er denn?
Und wo wohnen Sie, bitte?
Sind Sie heute/morgen/... zu Hause?

Ja./Nein.
Ungefähr/Genau ...
... Euro.
In der ...straße.
Ja, bin ich. / Ja, ich bin da. / Nein, ich bin nicht da.

genau zwei Meter = 2,00 m
ungefähr zwei Meter = 2,02 m

Grammatik

1 Definiter Artikel ÜG 2.01, 2.02

		definiter Artikel
Singular	Hier ist	• der Balkon.
	Hier ist	• das Bad.
	Hier ist	• die Küche.
Plural	Hier sind	• die Kinderzimmer.

TiPP

Notieren Sie Wörter immer mit *der, das, die* und mit Farbe.

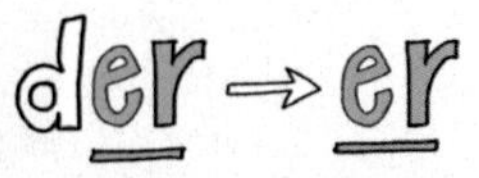

2 Personalpronomen ÜG 3.01

		Personalpronomen
	Wo ist ...	
Singular	• der Balkon?	Er ist dort.
	• das Bad?	Es ist dort.
	• die Küche?	Sie ist dort.
	Wo sind ...	
Plural	• die Kinderzimmer?	Sie sind dort.

das → es

die → sie

3 Negation ÜG 9.01

Der Stuhl ist nicht schön.
Walter wohnt nicht hier.
Sie haben keine Möbel.

Kommunikation

GEFALLEN / MISSFALLEN: Wie gefällt dir/Ihnen der Tisch?

Wie gefällt dir/Ihnen der Tisch?	*Sehr gut.*
Wie gefallen dir/Ihnen die Betten?	*Gut.*
	Ganz gut.
	Es geht.
	Nicht so gut.

NACH DEM ORT FRAGEN: Wo ist die Küche?

Wo ist denn die Küche?	*Hier. / Dort.*
Ist hier auch ein Arbeitszimmer?	*Ja. Dort. / Das Arbeitszimmer ist hier/dort.*
Ist das hier das Bad?	*Ja, das hier ist das Bad.*

Schreiben Sie ein Gespräch.

○ Wie gefällt Ihnen ...
◇ ...

BESCHREIBEN: Wie ist dein Zimmer?

Wie ist dein Zimmer?	*Es ist teuer. / nicht teuer. / sehr teuer.*
Wie lang/breit/hoch/... ist der Tisch?	*Ungefähr/Genau zwei Meter.*
Wie groß ist das Bett?	*Sechzig mal hundertzwanzig Zentimeter.*
Welche Farbe hat der Tisch?	*Er ist dunkelbraun.*

EIN TELEFONGESPRÄCH FÜHREN: Sie verkaufen doch ...?

Guten Tag.	
Ist der/das/die ... noch da?	*Ja./Nein.*
Wie groß/breit/hoch/alt ist er/es/sie denn?	*Ungefähr/Genau ... Zentimeter/Meter breit/... Ungefähr/Genau ein Jahr/zwei Jahre alt.*
Was kostet er/es/sie denn?	*... Euro.*
Und wo wohnen Sie, bitte?	*In der ...straße.*
Sind Sie heute/morgen/... zu Hause?	*Ja, bin ich. / Ja, ich bin da. / Nein, ich bin nicht da.*

STRATEGIEN: Sagen Sie mal, ...

Sagen Sie mal, ... / Sag mal, ... | *Ja, richtig.* | *Aha, gut!*
..., nicht? | *..., oder?* | *..., richtig?*
Oh, ... | *Also, ...*
Schau mal! / Schauen Sie mal! | *Ah ja, danke.*

Wie ist Ihr (Traum-)Zimmer / Ihre (Traum-)Wohnung? Schreiben Sie.

Ich habe ein Zimmer und eine Küche. Das Zimmer ist nicht groß ...

Sie möchten noch mehr üben?

1 | 84-86 AUDIO-TRAINING

VIDEO-TRAINING

Lernziele

Ich kann jetzt ...

A ... Zimmer benennen:
Das ist meine Wohnung. Das ist die Küche. ☺ 😐 ☹

B ... Häuser und Wohnungen beschreiben:
Das Haus ist sehr schmal. Die Wohnung ist nicht teuer. ☺ 😐 ☹

C ... sagen: Das gefällt mir (nicht):
Die Stühle sind (nicht) schön. ☺ 😐 ☹

D ... bis eine Million zählen:
tausend, zehntausend, hunderttausend, eine Million ☺ 😐 ☹

... Wohnungsanzeigen verstehen:
Schöne möblierte 1-Zi.-Wohnung ... ☺ 😐 ☹

E ... Kleinanzeigen verstehen und ein Telefongespräch führen:
Welche Farbe hat der Tisch und wie lang ist er? ☺ 😐 ☹

Ich kenne jetzt ...

... 5 Zimmer:

das Arbeitszimmer, ...

... 5 Möbelstücke:

der Schrank, ...

SCHREIBEN

Zimmer frei!

1 Lesen Sie die Anzeige und korrigieren Sie die Sätze 1–4.

Hallo Leute! Wer sucht ein Zimmer?
Ab Juli ist bei mir in der Wohnung ein Zimmer frei. Das Zimmer ist 21 Quadratmeter groß.
Es ist hell und ruhig und billig.
Ja, wirklich: Es kostet nur 280 Euro im Monat!
Die Möbel sind schon da: ein Bett, ein Schrank, ein Schreibtisch, ein Tisch und zwei Stühle.
Die Küche, der Balkon und das Bad sind für uns beide. Im Bad sind eine Toilette und eine Dusche.

Tel. 01213/22 22 22
Tel. 01213/22 22 22
Tel. 01213/22 22 22
Tel. 01213/22 22 22
Tel. 01213/22 22 22

1 Das Zimmer ist ~~280~~ Quadratmeter groß.
21 Quadratmeter

2 Es ist hell, ruhig und teuer.
....

3 Das Zimmer ist möbliert: ein Bett, ein Schrank, ein Schreibtisch, ein Tisch und drei Stühle.
....

4 Das Bad hat eine Badewanne.
....

2 Schreiben Sie eine Anzeige für Ihr Zimmer.

Das Zimmer ist 6 m² groß.
☹ Es ist sehr klein.
☺ Es ist ruhig und billig. Es kostet ...

PROJEKT

(M)Eine Traumwohnung

1 Fotografieren Sie Ihre Wohnung oder suchen Sie Fotos von Ihrer Traumwohnung im Internet.

2 Zeigen Sie Ihre Fotos im Kurs und sprechen Sie.

Das ist mein Wohnzimmer. Es ist sehr schön. Das Sofa ist weiß ...

Das ist meine Traumwohnung. Die Küche ist sehr groß und hell. Die Möbel sind neu ...

LIED MIT FILM

Das ist die Küche.

1 Sehen Sie den Film an. Welche Zimmer sehen Sie? Notieren Sie.

Küche, ...

2 Lesen Sie den Liedtext und sehen Sie den Film noch einmal an.
Singen Sie mit und machen Sie die Bewegungen.

1

*Das ist die **Küche**.*

*Die Küche ist sehr **klein** und leider ziemlich **dunkel**.*

2

*Das ist das **Wohnzimmer**.*

*Das Wohnzimmer ist **groß** und es ist sehr **hell**.*

3

*Das ist das **Schlafzimmer**.*

*Das Schlafzimmer ist **schön** und es ist sehr **ruhig**.*

4

*Das ist das **Haus**.*

*Das Haus ist sehr **groß**, aber es ist **teuer**.*

Mein Tag

1 Sehen Sie die Fotos an. Wo ist Lara auf Foto 1 und 8? Was macht sie? Kreuzen Sie an.

a ○ Sie ist im Kurs.
○ Sie ist zu Hause.

b ○ Sie ist die Lehrerin.
○ Sie macht eine Präsentation.

2 🔊 1-8

2 Sehen Sie die Fotos an und hören Sie. Was macht Lara?

Schreiben Sie die Wörter auf Zettel. Was passt? Legen Sie die Zettel zu den Fotos.

frühstücken | einkaufen | Musik hören | kochen | spazieren gehen | eine Präsentation machen | aufräumen | aufstehen | Deutschkurs haben

Laras Film

2 ◀)) 1-8 **3 Wer macht das? Hören Sie noch einmal und verbinden Sie.**

Lara	steht um Viertel nach sieben auf.
Sofia	frühstücken zusammen.
Lara, Sofia und Lili	räumt die Küche auf.
	geht zum Deutschkurs.
	geht am Nachmittag spazieren oder kauft ein.
	kocht das Abendessen.
	arbeitet sehr viel und ist am Abend müde.
	essen zusammen.
	ruft ihre Familie an.

4 Was machen Sie auch jeden Tag? Nehmen Sie die passenden Zettel aus 2 und vergleichen Sie mit Ihrer Partnerin / Ihrem Partner.

A Ich **räume** mein Zimmer **auf.**

2 🔊 9 **A1 Was macht Lara? Hören Sie und ordnen Sie.**

○  Sie kocht das Abendessen.

○  Sie ruft ihre Familie an.

①  Lara steht früh auf.

○  Sie räumt die Küche auf.

○  Sie kauft im Supermarkt ein.

○  Sie sieht fern.

auf|stehen
Lara steht früh auf.

ein|kaufen
Lara kauft im Supermarkt ein.

ich	sehe fern
du	siehst fern
er/sie	sieht fern

A2 Sofias Tag: Schreiben Sie und vergleichen Sie mit Ihrer Partnerin / Ihrem Partner.

Sofia steht früh auf.
Sie frühstückt ...

früh aufstehen | mit Lara und Lili frühstücken | zur Arbeit gehen | lange arbeiten | mit Lili spielen | im Supermarkt einkaufen | mit Lara und Lili essen | die Wohnung aufräumen | ein bisschen fernsehen | ins Bett gehen

A3 Partnerinterview

a Schreiben Sie sechs Beispiele:
Was machen Sie gern?
Was machen Sie nicht gern?

☹ *früh aufstehen*
☺ *arbeiten*
...

ich	esse	ich	arbeite
du	isst	du	arbeitest
er/sie	isst	er/sie	arbeitet

b Tauschen Sie die Zettel. Fragen Sie Ihre Partnerin / Ihren Partner und antworten Sie.

◆ Stehst du gern früh auf?
○ Nein. Ich stehe nicht gern früh auf. Und du?

◆ Ich stehe gern früh auf. Arbeitest du gern?
○ Ja, ich arbeite gern.

Stehst du gern früh auf?

A4 Ihre Kursleiterin / Ihr Kursleiter fragt: Machen Sie das gern? Dann stehen Sie auf.

A5 Mein Tag

Machen Sie Fotos von Ihrem Tag und zeigen Sie die Fotos im Kurs. Sprechen Sie.

B **Wie spät** ist es jetzt?

2 🔊 10 **B1 Hören Sie und variieren Sie.**

◆ Wie spät ist es jetzt? Ist es schon zwölf ?
○ Nein. Es ist erst Viertel vor zwölf .

Varianten:

5 vor ... | 5 nach ...
10 vor ... | 10 nach ...
Viertel vor ... | Viertel nach ...
20 vor ... | 20 nach ...
5 nach halb ... | 5 vor halb ...
halb ...

Man schreibt:	Man sagt:
01.00 Uhr / 13.00 Uhr	ein Uhr / eins
01.15 Uhr / 13.15 Uhr	Viertel nach eins
01.30 Uhr / 13.30 Uhr	halb zwei
01.45 Uhr / 13.45 Uhr	Viertel vor zwei

2 🔊 11-14 **B2 Uhrzeiten**

a Hören Sie und ordnen Sie zu.

Gespräch	1	2	3	4
Bild	B			

A

B

C

D

b Hören Sie noch einmal. Zeichnen Sie und schreiben Sie die Uhrzeit.

zwanzig vor neun ....

B3 Wie spät ist es? Ergänzen Sie.

a 06:58 kurz vor sieben / gleich ...
b 09:57 ....
c 10:02 ....
d 11:59 ....
e 12:04 ....

11.58 Uhr	(Es ist) Kurz vor zwölf. / Gleich zwölf.
12.03 Uhr	(Es ist) Kurz nach zwölf.

B4 Zeichnen Sie vier Uhrzeiten.
Fragen Sie Ihre Partnerin / Ihren Partner: Wie spät ist es?

C Wann fängt der Deutschkurs an?

2 🔊 15 C1 Welchen Deutschkurs besucht Lara?

a Hören Sie und markieren Sie im Kursprogramm.

DEUTSCH-INTENSIV- UND ABENDKURSE

Montag bis Freitag 08.30 – 12.15 Uhr (25 Unterrichtsstunden)
Montag bis Freitag 08.30 – 12.00 Uhr und 12.30 – 15.00 Uhr (40 Unterrichtsstunden)

Montag bis Donnerstag 18.15 – 20.30 Uhr (12 Unterrichtsstunden)
Montag/Mittwoch oder Dienstag/Donnerstag 18.15 – 20.30 Uhr (6 Unterrichtsstunden)

ich	fange an
du	fängst an
er/sie	fängt an

b Lesen Sie und hören Sie noch einmal. Ergänzen Sie.

1 Wann fängt der Deutschkurs an? Um *halb neun*.
2 Wann endet der Kurs? Um ______________.
3 Wann ist der Kurs? Von *Montag* bis ______________
von __________ bis __________ Uhr.

Wann?
- Am Montag.
- Um zehn Uhr.
- Von neun bis fünf (Uhr).
- Von Montag bis Freitag.

2 🔊 16 C2 Hören Sie und variieren Sie.

◆ Ich mache am Freitag eine Party. Hast du Zeit?
○ Am Freitag? Ich spiele von fünf bis sechs Fußball. Da habe ich keine Zeit. Wann fängt die Party denn an?
◆ Um sieben Uhr.
○ Das passt gut. Ich komme gern.

am Samstag + am Sonntag = am Wochenende

Varianten:

Samstag 4–5 6 Sonntag 7–8 9

ich	schlafe
du	schläfst
er/sie	schläft

C3 Tims Woche: Sprechen Sie mit Ihrer Partnerin / Ihrem Partner.

Montag	Dienstag	Mittwoch	Donnerstag	Freitag	Samstag	Sonntag
8.30-15.00 Uhr Deutschkurs	8.30-15.00 Uhr Deutschkurs	8.30-15.00 Uhr Deutschkurs	8.30-15.00 Uhr Deutschkurs	8.30-15.00 Uhr Deutschkurs	11.00-12.00 Uhr Zimmer aufräumen	lange schlafen! ☺
12.00 Uhr mit Lara spazieren gehen	17.00 Uhr Fußball spielen	16.00 Uhr Hausaufgaben machen	18.00 Uhr Mama und Papa anrufen	19.00 Uhr einkaufen	18.30 Uhr mit Lara kochen	20.15 Uhr fernsehen

◆ Wann spielt Tim Fußball?
○ Am Dienstag um fünf Uhr.

○ Um wie viel Uhr geht er ...?
◆ Um ... Uhr.

C4 Partnerinterview

Schreiben Sie sechs Fragen. Stellen Sie Ihrer Partnerin / Ihrem Partner die Fragen und notieren Sie.

1. Wann stehst du am Wochenende auf?
2. Um wie viel Uhr gehst du ins Bett?

Natalja
1. Um halb sieben.

SCHON FERTIG? Schreiben Sie Ihren Terminkalender für nächste Woche auf Deutsch.

D Tageszeiten

D1 Ordnen Sie zu.

~~am Mittag~~ am Morgen am Abend am Nachmittag

.... am Vormittag am Mittag .... in der Nacht

D2 Roberts Samstag

2 🔊 17 **a** Was sagt Robert? Hören Sie das Gespräch und verbinden Sie.

Wann?	Am Vormittag. ⚠ In der Nacht.

1 Am Morgen — frühstückt Robert.
2 Am Vormittag
3 Am Mittag
4 Am Nachmittag
5 Am Abend
6 In der Nacht

geht er ins Kino.
geht er spazieren.
frühstückt Robert.
isst er mit Nina.
räumt er auf, kauft ein und kocht.
macht er Sport.

Robert macht *am Nachmittag* Sport.
Am Nachmittag macht Robert Sport.

b Was macht Robert wirklich? Schreiben Sie.

A Am Morgen hört Robert Musik.
B Am Vormittag ...
C Am Mittag ...
D Am Nachmittag ...
E Am Abend ...
F In der Nacht ...

A

Musik hören

B

Kaffee trinken

C

Pizza essen

D

Computerspiele spielen

E

fernsehen

F

chatten

D3 Spiel: *Ihr Tag.* Schreiben Sie vier Informationen über sich.

Eine Information ist falsch. Lesen Sie Ihre Informationen vor. Die anderen raten: Was ist falsch?

◆ Ich glaube, du stehst nicht um sechs auf.
○ Doch. Ich stehe um sechs auf. Auch am Wochenende.
▲ Aber du räumst nicht am Nachmittag auf.
○ Stimmt. Ich räume erst am Abend auf.

Ich stehe um sechs Uhr auf.
Am Vormittag lerne ich Deutsch.
Am Nachmittag räume ich auf.
Ich gehe um elf Uhr ins Bett.

E Familienalltag

2 🔊 18-21 **E1 Öffnungszeiten: Wann ist geöffnet?**

a Hören Sie und ordnen Sie zu.

A

Dr. Annette Krönke
Kinder- und Jugendärztin

Sprechzeiten:
Mo – Do 8.30 – 12.00 Uhr
14.00 – 16.30 Uhr
Fr 8.30 – 12.00 Uhr
Terminvereinbarung
unter 030/700 70

B

KINDERGARTEN
ST. RAPHAEL

Eichwaldstraße 128
10785 Berlin
www.kiga-raphael.com
Tel. 030/2 61 50 96

Öffnungszeiten:
Montag bis Freitag
7.30 – 17.00 Uhr

C

Elektro Schuster
– Ihr Elektrogeschäft mit Herz
Geschäftszeiten:
Mo, Di, Do, Fr
8.00 – 12.00 und 14.00 – 18.30
Mi 8.00 – 12.00 | Sa 8.30 – 13.00

D

Kinder- und
Jugendbibliothek Berlin

Mo – Fr 13.00 – 19.00 Uhr
Sa 10.00 – 19.00 Uhr
An gesetzlichen Feiertagen
geschlossen.

Ansage	1	2	3	4
Schild	B			

b Wie sagen die Personen die Uhrzeit? Hören Sie noch einmal und kreuzen Sie an.

1 Der Kindergarten ist bis ☒ 17 Uhr ○ fünf Uhr geöffnet.
2 Die Bibliothek öffnet von Montag bis Freitag um ○ eins. ○ 13 Uhr.
3 Am Samstag ist das Geschäft von ○ acht Uhr 30 bis 13 Uhr ○ halb neun bis eins geöffnet.
4 Von Montag bis Donnerstag schließt die Praxis um ○ halb fünf. ○ 16 Uhr 30.

	offiziell (Radio, Fernsehen, Ansagen ...)	privat (Familie, Freunde ...)
08.30	acht Uhr dreißig	halb neun
19.00	neunzehn Uhr	sieben Uhr

E2 Veras Tag

a Was ist richtig? Lesen Sie den Text auf Seite 65 und kreuzen Sie an.

1 ☒ Vera ist nicht verheiratet.
2 ○ Vera und die Kinder leben in der Schweiz.
3 ○ Veras Exmann wohnt in Norddeutschland.
4 ○ Vera ist am Abend müde.
5 ○ Sie geht jeden Tag ins Kino.

Montag bis Sonntag = *auch so:*	jeden Tag jeden Morgen jeden Abend jedes Wochenende jede Nacht

b Sehen Sie die Fotos an und schreiben Sie sechs Sätze über Vera. Zwei Sätze sind falsch. Ihre Partnerin / Ihr Partner korrigiert.

Um ~~18.00~~ 18.30 spielt Vera mit Tom und Luka.

Kita = Kindertagesstätte

Wann hast du denn mal Zeit, Vera?

1 *6.00 aufstehen*

2 *7.15 die Kinder in die Kita bringen*

3 *7.45 – 16.00 arbeiten*

4 *17.00 die Kinder von der Kita abholen*

5 *17.30 kochen*

6 *18.00 essen*

7 *18.30 mit Tom und Luka spielen*

8 *19.30 die Kinder ins Bett bringen*

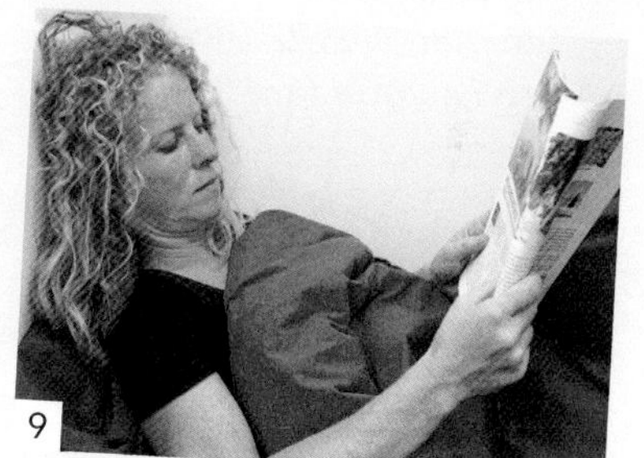

9 *22.00 ins Bett gehen*

Hallo. Ich heiße Vera Szipanski und bin 33 Jahre alt. Ich bin geschieden und habe zwei Söhne. Tom ist vier und Luka zwei. Tom und Luka gehen in die Kita. Wir wohnen in Stuttgart. Mein Exmann lebt jetzt in der Schweiz. Meine Eltern wohnen in Norddeutschland. Ich habe die Kinder also jeden Morgen, jeden Abend und am Wochenende natürlich den ganzen Tag.

Ich hätte gern mehr Zeit für mich. Zum Beispiel möchte ich mal wieder ins Kino gehen. Aber am Abend bin ich müde. Meine Freundinnen fragen: „Wann hast du denn mal Zeit, Vera?" Und ich antworte: „Heute nicht. Tut mir leid, ich bin total fertig. Heute möchte ich nur noch ins Bett."

Grammatik

1 Trennbare Verben ÜG 5.02

auf/räumen	→	Ich räume auf.
auf/stehen	→	Lara steht auf.
ein/kaufen	→	Lara kauft ein.

auch so: *anrufen, fernsehen, anfangen, abholen*

Was passt zusammen?

auf	sehen
ein	räumen
fern	kaufen
auf	rufen
an	stehen
an	fangen

2 Trennbare Verben im Satz ÜG 10.02

	Position 2		Ende
Ich	räume	mein Zimmer	auf.
Lara	steht	früh	auf.
Lara	kauft	im Supermarkt	ein.
Stehst	du	gern früh	auf?

3 Temporale Präpositionen ÜG 6.01

Wann gehen Sie zum Deutschkurs?		
am Vormittag *aber:* in der Nacht	→	Tageszeit
am Montag von Montag bis Freitag	→	Tag
um zehn Uhr um Viertel vor/nach acht von neun bis fünf (Uhr)	→	Uhrzeit

Was machen Sie wann?
Schreiben Sie.
Wann stehen Sie auf?
Wann gehen Sie zum Deutschkurs?
Wann arbeiten/lernen Sie?
Wann gehen Sie ins Bett?

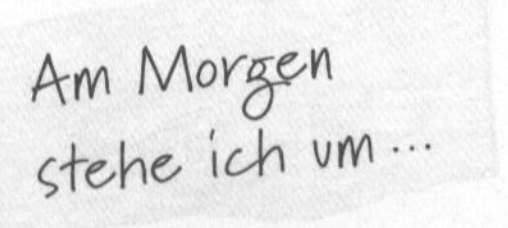

4 Verb: Konjugation ÜG 5.01, 5.02

	anfangen	arbeiten	essen	fernsehen	schlafen
ich	fange an	arbeite	esse	sehe fern	schlafe
du	fängst an	arbeitest	isst	siehst fern	schläfst
er/es/sie	fängt an	arbeitet	isst	sieht fern	schläft
wir	fangen an	arbeiten	essen	sehen fern	schlafen
ihr	fangt an	arbeitet	esst	seht fern	schlaft
sie/Sie	fangen an	arbeiten	essen	sehen fern	schlafen

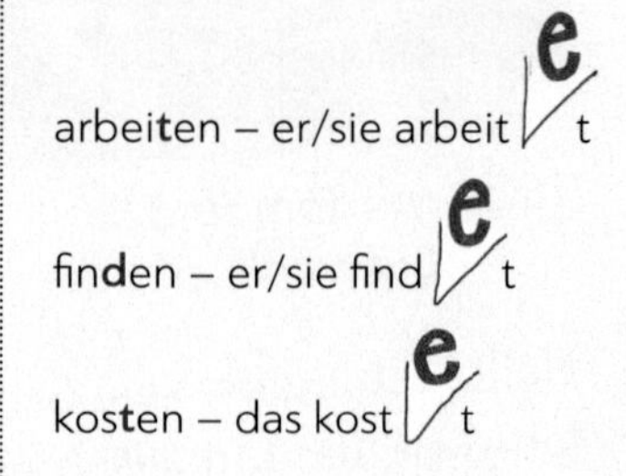

5 Verb: Position im Hauptsatz ÜG 10.01

	Position 2	
Robert	macht	*am Nachmittag* Sport.
Am Nachmittag	macht	Robert Sport.

Kommunikation

UHRZEIT: Wie spät ist es?

Wie spät ist es (jetzt)? — *(Es ist) Sieben/Neunzehn Uhr.*
(Es ist) Acht Uhr dreißig./
(Es ist) Halb neun.
Ist es schon zwölf? — *Nein. Es ist erst Viertel vor zwölf.*
Es ist kurz vor zwölf./gleich zwölf.
Es ist kurz nach zwölf.
Um wie viel Uhr gehst du ins Bett? — *Um elf Uhr./Um halb elf.*

ÖFFNUNGSZEITEN: (Von wann bis) Wann ist ... geöffnet?

Wann ist der Kindergarten geöffnet? — *(Von Montag bis Freitag) Von 7 Uhr 30 bis 17 Uhr.*

VERABREDUNG: Hast du Zeit?

Ich mache am Freitag eine Party. Hast du Zeit? — *Wann fängt die Party denn an?*
Um sieben Uhr. — *Das passt gut. Ich komme gern.*
Da habe ich keine Zeit.

VORLIEBEN: Was machst du (nicht) gern?

Stehst du gern früh auf? | *Ich stehe nicht gern früh auf.*
Ich arbeite gern.

STRATEGIEN: Ich glaube, ...

Stimmt. | *Ich glaube, ...*

Wann ist ... geöffnet?
Schreiben Sie.

SUPERMARKT
Mo – Sa
7.00 – 20.00 Uhr

Die Praxis ....
Der Kindergarten ....
Der Supermarkt ....

Sehen Sie in Ihren Kalender und notieren Sie Ihre Antwort.

Hast du am Samstag um acht Zeit? Ich gehe ins Kino.

....

Sie möchten noch mehr üben?

2 | 22-24 AUDIO-TRAINING

VIDEO-TRAINING

Lernziele

Ich kann jetzt ...

A ... sagen: Das mache ich:
Ich räume die Küche auf. .... ☺ 😐 ☹
B ... nach der Uhrzeit fragen und die Uhrzeit sagen:
Wie spät ist es jetzt? – Es ist kurz vor zwölf. .... ☺ 😐 ☹
C ... sagen: Wann mache ich was?
Ich spiele von fünf bis sechs Fußball. .... ☺ 😐 ☹
D ... Informationen zur Tageszeit verstehen und geben:
am Vormittag, am Nachmittag, ... ☺ 😐 ☹
... über meinen Tag sprechen:
Am Vormittag lerne ich Deutsch. .... ☺ 😐 ☹
E ... Öffnungszeiten auf Schildern und in Telefonansagen verstehen .... ☺ 😐 ☹
... einen Lesetext verstehen .... ☺ 😐 ☹

Ich kenne jetzt ...

... 5 Aktivitäten:

spazieren gehen, ...

....

... die Wochentage:

Montag, ...

....

COMIC

Der kleine Mann: Die Traumfrau

Ordnen Sie zu.

3 Von 8.30 Uhr bis 17 Uhr arbeitet der kleine Mann.
Um 7.00 Uhr steht er auf und frühstückt.
Von 18 bis 19 Uhr geht er spazieren.
Von 20 bis 23 Uhr sieht er fern. Dann geht er ins Bett.
Von 23.30 Uhr bis 7.00 Uhr schläft er.
Um 7.45 Uhr fährt der kleine Mann zur Arbeit.

LESEN

Lesen Sie den Text und notieren Sie Informationen wie im Beispiel.

Franziska:
23 Jahre, aus …
lebt in …

Wohnung: …
Arbeit: …
Freund: …
Hobbys: …

Hallo! Ich bin Franziska.

Ich bin Franziska. Ich bin 23 Jahre alt und in Bodenheim geboren. Der Ort ist ziemlich klein, er hat etwa 7000 Einwohner. Nach der Schulzeit habe ich dort meinen Beruf gelernt. Ich bin Zahnarzthelferin und mag meinen Beruf.

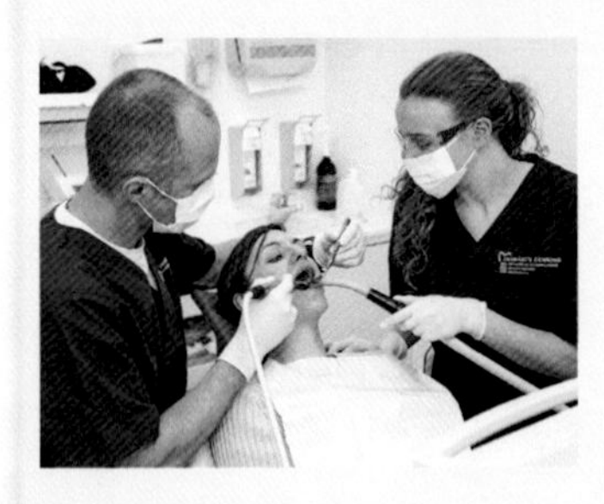

Heute lebe und arbeite ich in Mainz. Mainz hat mehr als 200.000 Einwohner. Meine Wohnung hat ein Zimmer, eine Küche und ein Bad. Sie ist nicht teuer und gefällt mir sehr gut.
Mein Hobby ist Klettern. Mein Freund Nicolas ist 24 und studiert in Göttingen Medizin. Von Mainz nach Göttingen sind es 250 Kilometer. Ich sehe Nicolas also nicht so oft. Leider!

FILM

So ist mein Tag.

1 Sehen Sie eine Fotoreportage über Franziska an.
Was macht Franziska wann? Verbinden Sie.

7.00 Uhr	schnell frühstücken
bis 7.30 Uhr	Mittagspause machen: nach Hause oder ins Fitnessstudio gehen
7.30 Uhr	aufräumen, Kleidung waschen oder einkaufen
7.45 Uhr	Arbeit fängt an
8.00 Uhr	aufstehen
8.00 Uhr – 13.00 Uhr	nach Hause kommen
13.00 Uhr – 15.00 Uhr	im Bad sein
15.00 Uhr – 18.00 Uhr	ausgehen und Freundinnen treffen
18.15 Uhr	essen
18.15 Uhr – 19.00 Uhr	telefonieren mit Nicolas, lesen oder fernsehen
19.15 Uhr	losgehen zur Zahnarztpraxis
19.30 – 23.00 Uhr	arbeiten
manchmal	wieder in der Praxis sein

2 Sprechen Sie über Franziskas Tag.

Um 7 Uhr steht Franziska auf. Dann ist sie im Bad. Um 7.30 Uhr frühstückt sie schnell ...

HÖREN

2 25

Meine Woche

Hans Bertholds Woche. Was ist richtig? Hören Sie und markieren Sie.

Hans Berthold:
76 Jahre alt |
arbeitet nicht mehr |
lebt allein

Am Morgen:
Frühstück |
geht zum Friedhof

Am Vormittag:
Tochter Anna kommt
am Montag und Donnerstag

Am Mittag:
kocht Montag, Mittwoch und Samstag | schläft am Sonntag bei Anna und Jonas |
Mittagsschlaf
von 14 bis 15 Uhr

Am Nachmittag:
geht spazieren |
trinkt Tee |
spielt Karten/Schach

Am Abend:
Abendessen | sieht fern |
geht ins Bett

1 Sehen Sie die Fotos an.

a Wer macht was? Zeigen Sie und sprechen Sie.

einen Ausflug machen | Auto fahren | wandern | Nachrichten schreiben | ein Picknick machen | Gitarre und Mundharmonika spielen | telefonieren

Lara, Lili, Sofia und Walter machen einen Ausflug.

Hier, Foto 6: Tim telefoniert.

b Wie ist das Wetter? Kreuzen Sie an.

○ Die Sonne scheint. 

○ Es regnet. 

○ Es gibt viele Wolken. 

2 🔊 26-33

2 Sehen Sie die Fotos an und hören Sie. Was ist in der Dose? 

2 🔊 26-33

3 Was ist richtig? Hören Sie noch einmal und kreuzen Sie an.

a Das Wetter ist ○ sehr schön. ☒ nicht so gut.
b Familie Baumann und Lara machen einen Ausflug.
Sie gehen los, aber Sofia vergisst die ○ Gitarre. ○ Dose.
c Lili hat ○ Durst. ○ Hunger.
d Lili möchte ○ keine Würstchen ○ keinen Käse essen.
e Lara ○ schreibt eine Nachricht an Tim. ○ ruft Tim an.
Tim bringt die ○ Mundharmonika. ○ Dose.
f Alle finden: Es ist so ○ schön ○ interessant hier.

Laras Film

4 Wandern Sie gern? Machen Sie gern Picknick? Machen Sie gern Musik? Erzählen Sie.

Ich wandere sehr gern.

Wandern finde ich …

A Das **Wetter** ist nicht so schön.

A1 Ordnen Sie zu.

- ◯ Es regnet.
- ◯ Es sind 25 Grad. Es ist warm.
- ◯ Die Sonne scheint.
- ◯ Es ist windig.
- ◯ Es sind nur 7 Grad. Es ist kalt.
- Ⓐ Es schneit.
- ◯ Es ist bewölkt.

A

B

C
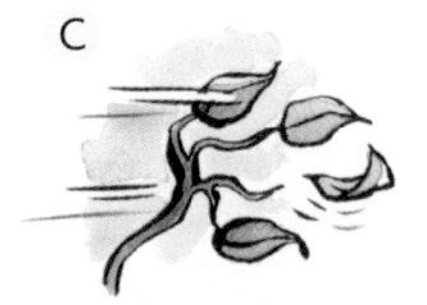

D

E

F

G

A2 Wetterberichte

a Wie ist das Wetter heute? Lesen Sie die Wetterberichte und ordnen Sie zu.

A ② 

B  

C ◯  

1

www.europawetter-heute.de

heute | Mi | Do | Fr | Sa | So | Mo

Deutschland: Im Norden und in der Mitte Deutschlands scheint schon heute überall die Sonne. Die Temperaturen steigen auf bis zu 20 Grad an der Küste und bis zu 23 Grad im Landesinneren. Im Süden ist es windig und nicht ganz so warm. Maximal 18 Grad. Morgen überall Temperaturen um die 25 Grad.

Schweiz: Überall sonniges Wetter, nur im Osten leicht bewölkt. Temperaturen bis ...

2

Heute Regen	+1° – +7° C
Mi bewölkt	+2° – +8° C
Do bewölkt	+2° – +8° C
Fr Schnee	-1° – +2° C
Sa und So sonnig	-2° – +4° C

3

Wetter

Deutschland | Österreich | Schweiz

Im Norden und Westen viele Wolken. Es regnet bei milden Temperaturen um 8 Grad. Im Ruhrgebiet und auf den Nordsee-Inseln bis 12 Grad. Im Süden und Osten scheint die Sonne. Die Temperaturen steigen auf 16 Grad! Auch morgen bleibt es warm.

+8° C (plus) acht Grad
-3° C minus drei Grad / drei Grad unter Null

b Was ist richtig? Lesen Sie noch einmal und kreuzen Sie an.

1 ○ Im Süden regnet es heute.
  ☒ Morgen ist es in ganz Deutschland warm.

2 ○ Heute sind es maximal sieben Grad.
  ○ Am Freitag schneit es.

3 ○ Im Süden regnet es nicht.
  ○ Morgen ist es kalt und es schneit.

2 🔊 34-36 **c** Welches Radio-Wetter passt zu den Texten in a? Hören Sie und ordnen Sie zu.

Wetterbericht			
Internet	1	2	3
Radio			A

A3 Wie ist das Wetter in Ihrem Land? Sprechen Sie und machen Sie ein Plakat.

Wie ist das Wetter in Bulgarien?

Wie ist das Wetter? | ☺ *Gut./Schön.* ☹ *Schlecht./Nicht so gut./schön.*

Im Sommer ist das Wetter sehr gut. Es ist heiß und es sind circa 30 Grad. Im Winter ist es kalt. Dann sind es 0 bis 5 Grad.

	Bulgarien	Spanien	Vietnam
im Frühling	12–15 °C	ca. 14 °C	ca. 25 °C
im Sommer	ca. 30 °C	ca. 26 °C	ca. 35 °C
im Herbst	12–15 °C	ca. 17 °C	ca. 25 °C
im Winter	0–5 °C	ca. 10 °C	15–20 °C

im Frühling

A4 Was ist Ihr Lieblingswetter? Was machen Sie dann? Erzählen Sie.

Ich mag Wind. Dann gehe ich spazieren. Das ist schön.

Ich finde Sonne/Regen/Wind/Schnee / warme Tage / kalte Tage gut.
Sonne/Regen/Wind/Schnee ist schön./angenehm./super./...
Ich mag Sonne/Regen/Wind/Schnee.
Wind/Regen/... mag ich gar nicht.

SCHON FERTIG? Wie wird das Wetter morgen an Ihrem Wohnort? Informieren Sie sich.

B Hast du **den** Käse?

2 ◀)) 37 **B1 Hören Sie und ordnen Sie zu.**

~~den~~ den der

◆ Sag mal, Sofia: Hast du *den* Käse?
○ Moment mal, wo ist denn .... Käse? ... Hier, Papa.
Ich habe .... Käse, siehst du?

2 ◀)) 38 **B2 Hören Sie und variieren Sie.**

◆ Wo ist der Saft?
Hast du den Saft?
○ Oh, tut mir leid,
den Saft habe ich nicht.

Varianten:

• das Fleisch • der Kaffee
• die Würstchen
• der Käse • der Kuchen

Wo	ist	• der Käse?
		• das Fleisch?
		• die Milch?
	sind	• die Würstchen?

Hast du	• den Käse?
	• das Fleisch?
	• die Milch?
	• die Würstchen?

B3 Sehen Sie die Speisekarte an. Was möchten Sie?
Sprechen Sie mit Ihrer Partnerin / Ihrem Partner.

◆ Also, ich möchte einen Hamburger und ein Wasser.
Du auch?
○ Ich weiß nicht. ... Nein, ich möchte keinen Hamburger.
Ich glaube, ich trinke nur einen Apfelsaft.

KLEINE SPEISEN
• Currywurst
• 2 Wiener Würstchen mit Kartoffelsalat
• Pizza Tomate-Käse
• Pizza Salami
• Hamburger
• 1 Portion Pommes (Ketchup / Mayonnaise)
• Salat mit • Ei und • Schinken

GETRÄNKE
• Mineralwasser
• Apfel-/Orangensaft
• Cola
• Bier

UNSERE SPEZIALITÄT
• Bananenpfannkuchen

Ich möchte/ trinke	• einen/keinen	Apfelsaft.
	• ein/kein	Wasser.
	• eine/keine	Cola.
	• –/keine	Säfte.

B4 Planen Sie ein Picknick.

Wer kauft die Würstchen und den Orangensaft?

Ich kaufe die Würstchen.

Ich kaufe den Orangensaft.

Würstchen
Orangensaft

Würstchen → Jonas
Orangensaft → Carmen

C Hast du **keinen** Hunger mehr? – **Doch**.

2 39 **C1 Hören Sie und ordnen Sie zu.**

~~Doch~~ Ja Nein Doch Ja Doch

1

◆ Hast du den Käse?
○ Den Käse? Moment mal, wo ist denn der Käse? Ach ...
◆ Was? Haben wir den Käse nicht dabei?
○ Doch ! Hier, Papa! Ich habe den Käse. Hier ist er, siehst du?
◆ .... !

2

○ Möchtest du ein Würstchen?
▲ ...., gern. Danke, Sofia. ... Lili? Möchtest du auch ein Würstchen?
□ ...., danke.
◆ Was? Hast du keinen Hunger mehr?
□ .... Aber ich möchte lieber Käse. Haben wir keinen Käse?
○ ....

Möchtest du ein Würstchen?	Ja.	Nein.
Haben wir den Käse nicht dabei?	Doch.	Nein.
Hast du keinen Hunger mehr?	Doch.	Nein.

2 40-41 **C2 Wer möchte was?**

Hören Sie die Gespräche und variieren Sie.

1

◆ Wer möchte eine Currywurst ?
○ Ich! Ich möchte eine Currywurst .
◆ He, Lukas! Nimmst du keine Wurst ?
▲ Nein. Ich habe keinen Hunger.

Varianten:

• die Cola • das Eis • der Apfelsaft ...

ich	nehme
du	nimmst
er/sie	nimmt

2

◆ Möchtest du Fußball spielen ?
○ Nein. Jetzt nicht.
◆ Warum nicht? Spielst du nicht gern Fußball ?
○ Doch. Aber ich habe keine Zeit.

Varianten:

ins Kino gehen   Musik machen   Eis essen   ...

C3 Spiel: *Wie bitte?* Schreiben Sie vier Fragen und fragen Sie Ihre Partnerin / Ihren Partner.

Wie bitte?

Spielst du gern Fußball?
Hast du einen Hund?
Sprichst du Englisch?
Möchtest du einen Kaffee?

◆ Spielst du gern Fußball?
○ Ja, ich spiele sehr gern Fußball.
◆ Wie bitte? Du spielst nicht gern Fußball?
○ Doch!

▲ Hast du einen Hund?
□ Nein.
▲ Wie bitte? Du hast keinen Hund?
□ Nein.

D Freizeit und Hobbys

D1 Ordnen Sie zu.

Ⓐ tanzen
◯ wandern
◯ schwimmen
◯ Gitarre spielen
◯ Freunde treffen
◯ Fahrrad fahren
◯ stricken
◯ grillen

D2 Was machen Sie gern in der Freizeit? Sprechen Sie mit Ihrer Partnerin / Ihrem Partner.

◆ Ich spiele gern Fußball und ich schwimme viel.
Ich mache gern Sport. Was sind deine Hobbys?

○ Meine Hobbys sind Kochen und Lesen. Ich finde Krimis gut.
Und ich treffe in meiner Freizeit gern meine Freunde.
Liest du auch gern?

ich	treffe	lese	fahre
du	triffst	liest	fährst
er/sie	trifft	liest	fährt

Was sind deine/Ihre Hobbys?	*Meine Hobbys sind ...*
Was machst du / machen Sie gern in der Freizeit?	*Ich ... gern ... Das macht Spaß.*
	Ich finde ... gut./toll./super./interessant.

D3 Lesen Sie das Profil von Berhan. Was passt auch für Sie? Markieren Sie.

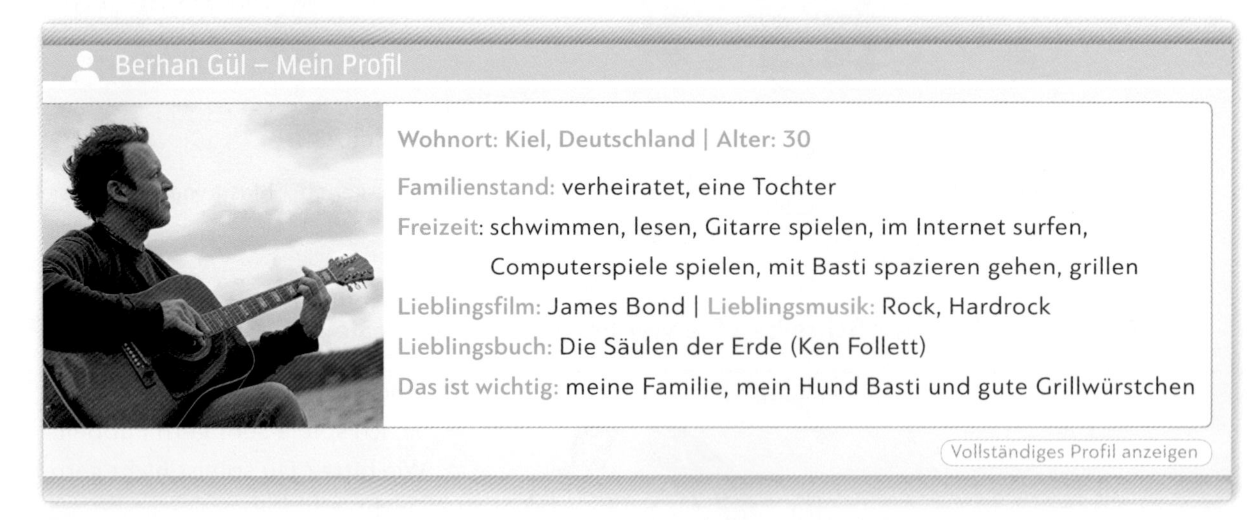

Berhan Gül – Mein Profil

Wohnort: Kiel, Deutschland | Alter: 30

Familienstand: verheiratet, eine Tochter

Freizeit: schwimmen, lesen, Gitarre spielen, im Internet surfen, Computerspiele spielen, mit Basti spazieren gehen, grillen

Lieblingsfilm: James Bond | Lieblingsmusik: Rock, Hardrock

Lieblingsbuch: Die Säulen der Erde (Ken Follett)

Das ist wichtig: meine Familie, mein Hund Basti und gute Grillwürstchen

Vollständiges Profil anzeigen

D4 Schreiben Sie Ihr Profil wie in D3 und sprechen Sie im Kurs.

Mein Lieblingsfilm ist ...

SCHON FERTIG? Pläne: Was machen Sie nächstes Wochenende? Schreiben Sie oder sprechen Sie mit Ihrer Partnerin / Ihrem Partner.

E Besondere Hobbys

E1 Lesen Sie die Interviews und markieren Sie: Alter, Beruf, Hobby.

Alma sammelt Wolkenfotos

Hallo, wie heißt du und wie alt bist du?
Ich heiße Alma und bin 34 Jahre alt.
Was ist dein Beruf?
Ich bin medizinisch-technische Assistentin.
Und in der Freizeit, Alma? Hast du ein Hobby?
Ja, ich habe ein Hobby. Ich mache gern Wolkenfotos.
Wolkenfotos? Warum denn?
Warum nicht? Gefallen dir Wolken nicht?
Doch, natürlich.
Ich finde Wolken schön und ich fotografiere gern. Das macht Spaß und kostet nicht viel. Ich brauche nur mein Smartphone.
Ich verstehe. Und das hast du ja immer dabei.
Genau.
Hast du schon viele Wolkenfotos?
Schon sehr viele. Guck mal! Das hier ist mein Lieblingsfoto.
Hey, das ist total schön! Das Foto gefällt mir sehr.
Oh, danke!
Machst du heute auch noch ein Wolkenfoto?
Hm, ich glaube nicht. Das Wetter ist ja nicht so toll.
Was? Es ist doch schön warm und die Sonne scheint.
Das stimmt schon, aber siehst du eine Wolke?
Oh, wie dumm! Na klar, es ist nicht bewölkt.
Also: kein Wolkenfoto.
Kein Problem. Die nächste Wolke kommt ganz sicher.

Karim spielt Backgammon

Hallo! Wie heißt du und wie alt bist du?
Mein Name ist Karim und ich bin 28.
Woher kommst du?
Ich komme aus dem Libanon.
Was ist dein Beruf?
Ich arbeite als Programmierer in einer IT-Firma.
Und in der Freizeit?
Ich spiele Fußball und Backgammon.
Backgammon? Du meinst das Würfelspiel?
Ja, genau. Backgammon ist schon seit zwanzig Jahren mein Lieblingsspiel.

Aha! Spielst du oft?
Ja, jeden Tag.
Heute auch?
Hm, ich möchte schon. Aber da gibt es leider ein Problem.
Hast du kein Backgammon-Spiel?
Doch. Das habe ich immer mit dabei. Hier: Guck mal!
Oh, das ist aber sehr klein!
Ja stimmt, aber es geht schon.
Na gut, wo ist jetzt das Problem? Hast du keinen Mitspieler?
Nein. Oder vielleicht doch? Spielst du Backgammon?
Ich!? Nein, leider nicht.
Ach, das ist ganz einfach. Das lernst du schnell.
Meinst du?
Ja, komm, wir fangen gleich an. Das macht Spaß.

E2 Wie gefallen Ihnen die Hobbys von Alma und Karim?
Welche besonderen Hobbys haben Sie? Erzählen Sie.

Mir gefällt Karims Hobby. Ich spiele auch gern, mein Lieblingsspiel ist Schach.

Grammatik und Kommunikation

Grammatik

1 Akkusativ: definiter Artikel ÜG 2.01, 2.02

	Nominativ	Akkusativ
	Wo ist/sind ...	Ich habe ...
	• der Saft?	• den Saft.
Singular	• das Würstchen?	• das Würstchen.
	• die Cola?	• die Cola.
Plural	• die Salate?	• die Salate.

2 Akkusativ: indefiniter Artikel ÜG 2.01, 2.02

	Nominativ	Akkusativ
	Ist/Sind das ...	Ich möchte ...
	• ein Saft?	• ein**en** Saft.
Singular	• ein Würstchen?	• ein Würstchen.
	• eine Cola?	• eine Cola.
Plural	• Salate?	• Salate.

3 Akkusativ: Negativartikel ÜG 2.03

	Nominativ	Akkusativ
	Das ist/sind ...	Ich habe ...
	• kein Saft.	• kein**en** Saft.
Singular	• kein Würstchen.	• kein Würstchen.
	• keine Cola.	• keine Cola.
Plural	• keine Salate.	• keine Salate.

4 Ja-/Nein-Frage: *ja – nein – doch* ÜG 10.03

Frage	Antwort	
Möchtest du ein Würstchen?	Ja.	Nein.
Haben wir den Käse nicht dabei?	Doch.	Nein.
Hast du keinen Hunger mehr?	Doch.	Nein.

5 Verb: Konjugation ÜG 5.01

	lesen	treffen	nehmen	fahren
ich	lese	treffe	nehme	fahre
du	liest	triffst	nimmst	fährst
er/es/sie	liest	trifft	nimmt	fährt
wir	lesen	treffen	nehmen	fahren
ihr	lest	trefft	nehmt	fahrt
sie/Sie	lesen	treffen	nehmen	fahren

auch so: *fernsehen, essen, sprechen | schlafen, anfangen*

TIPP

Lernen Sie Regeln mit Situationen und Beispielen.

Antworten Sie.
Haben Sie eine Gitarre?
☺ .... ☹ ....

Sprechen Sie nicht Deutsch?
☺ .... ☹ ....

Schreiben Sie Kärtchen. Markieren sie und schreiben Sie Beispielsätze.

lesen
Liest du gern?
Mein Vater liest
jeden Morgen.

Kommunikation

HOBBYS: Ich tanze gern.

Was sind Ihre/deine Hobbys?	*Meine Hobbys sind Lesen und Gitarre spielen.*
Was machst du / machen Sie gern in der Freizeit?	*Ich schwimme viel.* *Ich tanze gern. Das macht Spaß.* *Ich mache gern Sport.* *Ich finde Krimis gut./toll./super./interessant.*

VORLIEBEN: Mein Lieblingsbuch ist ...

Mein Lieblingsspiel/Lieblingsbuch/Lieblingsfilm ist ...
Meine Lieblingsmusik ist ...

DAS WETTER: Die Sonne scheint.

Wie ist das Wetter?
Gut. | Die Sonne scheint. | Es ist warm. | Schön. | Es regnet. | Es ist heiß. | Schlecht. | Es ist windig. | Es ist kalt. | Nicht so gut/schön. Es ist bewölkt. | Es gibt viele Wolken. | Es schneit. | Heute sind es sieben Grad. | Im Sommer ist das Wetter sehr gut.

Was ist Ihr/dein Lieblingswetter?	*Ich finde warme Tage/kalte Tage gut.* *Sonne/Regen/Schnee ist schön./angenehm./super./...* *Ich mag Wind.* *Wind/Regen/... mag ich gar nicht.*

STRATEGIEN: Na gut.

Sag mal, ... | Guck mal! | Na klar, ...
Na gut. | Oh, wie dumm! | Hm, ...
Kein Problem. | Ich weiß nicht. | Moment mal, ...

Schreiben Sie.
Was sind Ihre Hobbys? Was machen Sie gern in der Freizeit?

In meiner Freizeit ...

Sie möchten noch mehr üben?

2 | 42-44 AUDIO-TRAINING

Lernziele

Ich kann jetzt ...

A ... über das Wetter sprechen:
Wie ist das Wetter? – Gut. Die Sonne scheint. ☺ 😐 ☹
... den Wetterbericht verstehen ☺ 😐 ☹

B ... einfache Gespräche am Imbiss führen:
Ich möchte einen Hamburger und ein Wasser. Du auch? ☺ 😐 ☹

C ... zustimmen, verneinen:
Hast du keinen Hunger? – Doch./Nein. ☺ 😐 ☹

D ... über die Freizeit sprechen:
Ich spiele gern Fußball und ich schwimme viel. ☺ 😐 ☹
... Personenporträts verstehen ☺ 😐 ☹

E ... Interviews über Hobbys verstehen ☺ 😐 ☹

Ich kenne jetzt ...

... 5 Hobbys:
schwimmen, ...

... 7 Wörter zum Thema *Wetter*:
windig, ...

LIED

Wir sind nicht allein

Wir sind nicht allein

Du möchtest keinen Kaffee? – Nein.
Du möchtest keine Milch? Oh Mann!
Ich möchte auch keinen Tomatensaft.
Ja, was möchtest du denn dann?

Ich möchte singen. Du bist nicht allein.
Wir alle singen gern im Verein.

Wir machen keine Pizza. Nein.
Wir kochen auch kein Ei. Oh Mann!
Wir backen keinen Kuchen.
Ja, was machen wir denn dann?

Wir singen ein Lied. Wir sind nicht allein.
Wir alle singen gern im Verein.

2 45 **1** Hören Sie das Lied und singen Sie mit.

2 Welche Vereine kennen Sie? Sammeln Sie.

FILM

Almas Hobby: Wolkenfotos

Sehen Sie den Film an. Ergänzen Sie.

Alma ist 34 Jahre alt und wohnt in .... Sie fotografiert gern den Himmel und die .... Langweilig findet sie das nicht. Im Gegenteil: Wolken sind einfach toll. Und auch der Himmel ist schön: Alma liebt die .... : rot, gelb, orange, rosa, blau und grün. Sie fotografiert viel am .... Da hat Alma Zeit für ihr Hobby.

PROJEKT

Freizeit in meiner Stadt

1 Ihre Heimatstadt: Recherchieren Sie die Informationen im Internet.
   a Wie viele Menschen leben dort?
   b Wie ist das Wetter heute?
   c Was kann ich dort in meiner Freizeit machen?

2 Ergänzen Sie und markieren Sie die Informationen.

Die Stadt

Die Stadt ....
liegt in ....
Sie liegt im Westen / Osten / Norden / Süden / in der Mitte von ....
und hat .... Einwohner.

Das Wetter

Das Wetter dort ist heute gut / schön / nicht so gut / schlecht.
Es ist

sonnig.
leicht bewölkt.
stark bewölkt.
Es regnet.
Es schneit.

Es sind plus / minus .... Grad.

Es ist ...

-5	0	5	15	25	35
sehr kalt		kalt	warm	heiß	sehr heiß

Freizeitangebote

Kultur
....
....
....

Essen und Trinken
....
....
....

Sport
....
....
....

Andere
....
....
....

3 Erzählen Sie im Kurs.

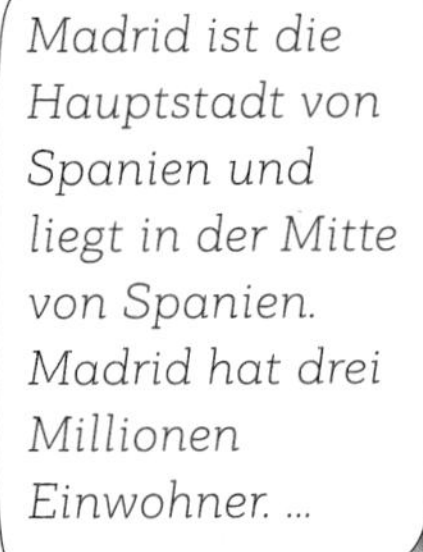

... Das Wetter in Madrid ist heute sehr schön. Die Sonne scheint. Es ist sehr heiß. Meine Freizeit-Tipps sind: der Flohmarkt „El Rastro", das Restaurant „El museo del Jamón" (auf Deutsch: Schinkenmuseum) und der „Retiro-Park".

Kinder und Schule

1 Sehen Sie die Fotos an. Was meinen Sie?

a Wer ist ein „Prima Team“?

b Wer sagt was? Kreuzen Sie an.

		Lili	*Lara*	*Sofia*
Foto 1	Kannst du Lili wecken?	○	○	○
Foto 2	Das Frühstück ist fertig! Was ist los?	○	☒	○
Foto 3	Ich habe Bauchschmerzen!	○	○	○
Foto 4	Ihr schreibt also einen Mathetest.	○	○	○
Foto 5	Pünktlich um Viertel nach zehn ist sie da.	○	○	○
Foto 6	Sie will auf jeden Fall noch zum Deutschkurs gehen.	○	○	○
Foto 7	Ich glaube, ich habe alles richtig gemacht.	○	○	○
Foto 8	Hmm! Das schmeckt so lecker!	○	○	○

Laras Film

2 ◀)) 46-53

2 Hören Sie und vergleichen Sie.

2 ◀)) 48-53

3 Hören Sie noch einmal. Ordnen Sie die Sätze.

- ◯ Am Nachmittag kommt Lili nach Hause und sagt: „Alles richtig!"
- ◯ Lili geht in die Schule und schreibt den Test.
- ◯ Lara macht einen Tee und lernt mit Lili Mathe.
  Sie ruft Lilis Lehrer an und sagt: „Lili kommt pünktlich zum Test."
- ◯ Am Abend essen Sofia, Lara und Lili zusammen und Sofia sagt:
  „Wir sind ein prima Team!"
- ① Lili hat Bauchschmerzen und kann nicht in die Schule gehen.
  Sie schreibt heute aber einen Mathetest.
- ◯ Lili ruft in der Sprachschule an und sagt: Lara kommt erst um halb elf.

A Ich **kann** nicht in die Schule **gehen**.

2 🔊 54-56 **A1 Hören Sie und ordnen Sie zu.**

kann Kannst kann ~~kann~~

A

.... du Lili wecken?

B

Ich .... nicht aufstehen. Ich glaube, ich kann nicht in die Schule gehen.

C

Sie .... nicht um halb neun kommen. Sie kommt erst um halb elf.

2 🔊 57 **A2 Hören Sie und variieren Sie.**

- Ich bin krank. Ich kann nicht einkaufen . Hannes, kannst du im Supermarkt einkaufen ?
- Ja, kein Problem.

Varianten:
(nicht) kochen (nicht) mit Jonas zum Arzt gehen
(nicht) mit Anna Hausaufgaben machen
Annas Lehrer (nicht) anrufen ...

ich	kann
du	kannst
er/sie	kann
wir	können
ihr	könnt
sie/Sie	können

Ich kann nicht einkaufen.

Kannst du im Supermarkt einkaufen?

A3 Spiel: *Bingo* – Wer kann was wie gut?
Fragen Sie im Kurs und notieren Sie die Namen. Wer hat zuerst vier Personen in einer Reihe?

- Kannst du gut Ski fahren?
- Ja, ich kann sehr gut Ski fahren.

Ja, (sehr) gut. / ein bisschen.
Nein, nicht (so) gut. / gar nicht.

sehr gut	gut	nicht so gut	gar nicht
Fahrrad fahren	Kuchen backen	schwimmen	singen
reiten	stricken	jonglieren	kochen
tanzen	einen Handstand machen	Französisch sprechen	Klavier spielen
malen	Ski fahren	Tennis spielen	fotografieren

Variante 1: senkrecht

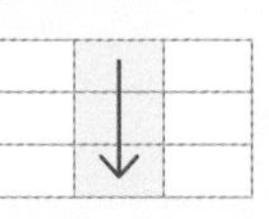

Variante 2: waagerecht

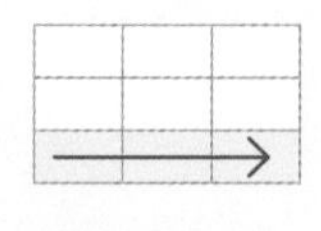

Variante 3: diagonal

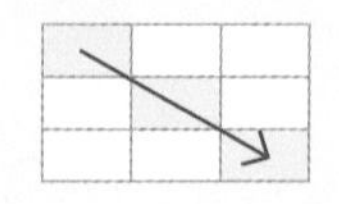

B Ja, sie **will** den Mathetest **schreiben**.

B1 Ordnen Sie zu.

~~will~~ aufstehen willst schreiben will ~~kommen~~

A

Ich _will_ nicht zu spät _kommen_.

B

.... du nicht endlich ....?

C

Ja, sie .... den Mathetest ....

Ich will nicht zu spät kommen.

ich	will
du	willst
er/es/sie	will
wir	wollen
ihr	wollt
sie/Sie	wollen

B2 Das will ich lernen!

2 58-61 **a** Wer will was lernen? Hören Sie, notieren Sie und sprechen Sie.

Anna will Französisch lernen.

A

Anna

Französisch

B

Ina und Miguel

....

C

Hassan

....

D

Kostas und Hella

....

b Was wollen Sie lernen? Sprechen Sie.

Ich will Jonglieren lernen!

B3 Was wollen Sie im Deutschkurs gern machen?

Notieren Sie und sprechen Sie dann mit Ihrer Partnerin / Ihrem Partner.

- viel sprechen
- Lieder singen
- Spiele machen

viel sprechen Grammatik üben Filme sehen Texte lesen Übungen machen Lieder hören / singen Spiele machen einen Brief / ein Diktat / einen Text schreiben ...

◆ Was willst du im Deutschkurs gern machen?
○ Ich will viel sprechen, Lieder singen und Spiele machen.
Und du? Was willst du machen?
◆ Ich will auch Spiele machen und ich will Filme sehen.

C Du **hast** nicht **gelernt**.

C1 Du hast nicht gelernt.

a Markieren Sie wie im Beispiel.

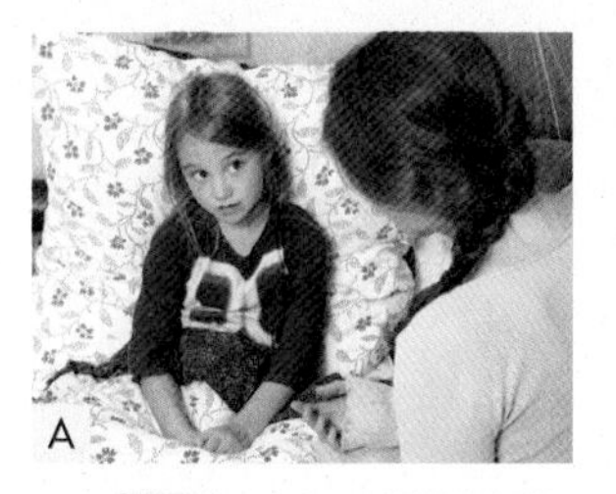
A
Du hast nicht gelernt.

B
Lara hat gerade Tee gemacht.

C
Ich habe Lauch gekauft.

D
Habt ihr den Mathetest geschrieben?

b Ordnen Sie zu.

◯ Lili lernt Mathe.
◯ Lili hat Mathe gelernt.

A

B

Lara hat Tee gemacht.

C2 Ordnen Sie zu.

~~gelernt~~ gemacht ~~geschrieben~~ gehört gespielt gesehen gelesen gekauft gesprochen gearbeitet

	-(e)t	-en
ich habe	gelernt	geschrieben
du hast		
er/sie hat		
wir haben		
ihr habt		
sie/Sie haben		

C3 Was hat Lili gestern gemacht?

a Sehen Sie die Bilder an und ordnen Sie zu.

Lara getroffen ~~Bauchschmerzen gehabt~~ mit Laras Lehrerin gesprochen geschlafen gespielt den Mathetest geschrieben Tee getrunken mit Lara und Sofia gegessen

A

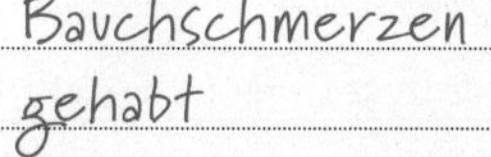

B

C

D

E

F

G

H

b Was hat Lili wann gemacht? Sprechen Sie.

am Morgen | am Vormittag | am Nachmittag | am Abend | in der Nacht

Lili hat am Nachmittag gespielt.

C4 Was haben Sie wann gemacht?

a Schreiben Sie 7 Kärtchen mit den Wochentagen und 7 Kärtchen mit Uhrzeiten.

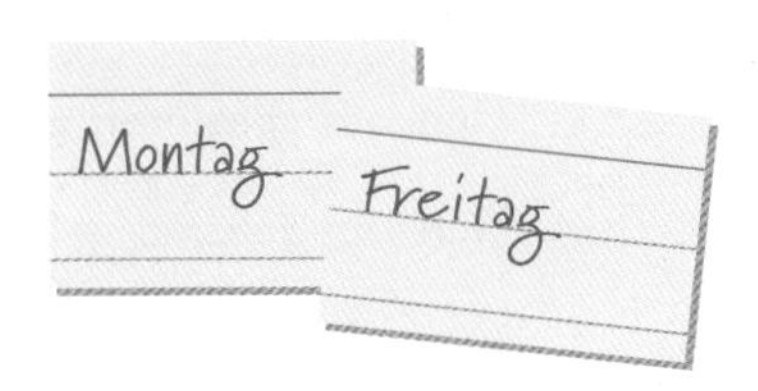

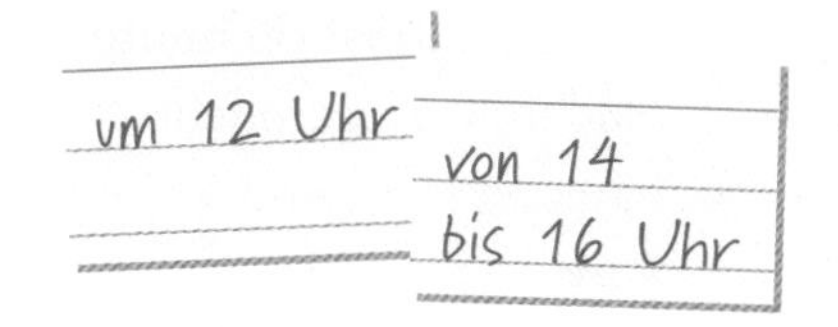

b Sprechen Sie mit Ihrer Partnerin / Ihrem Partner.

◆ Was hast du am Freitag um 12 Uhr gemacht? Hast du Mittag gegessen?
○ Nein, ich habe gearbeitet.
Und was hast du am Montag von 14 bis 16 Uhr gemacht?
◆ Ich habe ...

Hast du Mittag gegessen?

C5 Spiel: *Lebende Sätze*

a Schreiben Sie Sätze wie im Beispiel. Machen Sie Kärtchen.

Wir haben viel gelernt .

b Suchen Sie Ihre Partner. Bilden Sie Sätze.

D Bist du pünktlich gekommen?

2 🔊 62 **D1 Hören Sie und ergänzen Sie.**

A

- ◆ Und dein Termin heute Morgen, Sofia?
  Bist du pünktlich gekommen ?
- ○ Superpünktlich!

B

- ◆ Lara, was hast du heute Nachmittag gemacht?
- ○ Ich .... im Park ....

Ich bin spazieren gegangen .
Ich bin Fahrrad gefahren .
Bist du pünktlich gekommen ?

2 🔊 63 **D2 Hören Sie und variieren Sie.**

- ◆ Wir haben am Freitag frei. Wollen wir Fahrrad fahren ?
- ○ Fahrrad fahren ? Nein, nicht so gern ...
  Ich bin gestern auch schon Fahrrad gefahren .
- ◆ Schade!
- ○ Wollen wir dann vielleicht in die Stadt gehen ?
- ◆ Ja, super! Das machen wir!

Varianten:

im Park spazieren gehen – tanzen gehen
Pizza essen – zu Lisa fahren
Skateboard fahren – zusammen kochen

D3 Bist du schon einmal ...?

a Schreiben Sie zu zweit sechs Fragen.

Frage:
Bist du schon einmal 100 Kilometer Fahrrad gefahren?
Name: Ali

Frage:
Hast du schon einmal am Wochenende gearbeitet?
Name:

Frage:
Bist du schon einmal nach Berlin gefahren?
Name:

Frage:
Hast du schon einmal Wolken fotografiert?
Name:

b Wer hat das schon gemacht?
Fragen Sie im Kurs und notieren Sie die Namen.

SCHON FERTIG? Was haben Sie am Wochenende gemacht? Schreiben Sie.

E Kommunikation mit der Schule

E1 Welche Wörter kennen Sie? Lesen Sie und markieren Sie.

Liebe Eltern der Klasse 4a,

am Freitag, den 26.09. ist kein Unterricht!
Ich möchte mit den Mädchen und Jungen der Klasse 4a einen Ausflug ins Schwimmbad nach Verden machen. Der Eintritt kostet 7,50 Euro.

EINTRITT

Wir fahren um 8 Uhr los und kommen um ca. 14 Uhr wieder zurück.

Mit freundlichen Grüßen
Marianne Ohler

www.martini-grundschule.de

E2 Was ist richtig? Kreuzen Sie an.

a Die Lehrerin will ○ am Samstag ☒ am Freitag mit den Kindern ins Schwimmbad fahren.
b Der Eintritt kostet ○ 26,09 Euro. ○ 7,50 Euro.
c Der Ausflug fängt um ○ 14 Uhr ○ 8 Uhr an.

2 64 E3 Was ist richtig? Hören Sie und kreuzen Sie an.

a ○ Jonas geht in die Klasse von Frau Ohler.
b ○ Jonas kann heute zum Ausflug mitkommen.
c ○ Jonas ist krank.

E4 Rollenspiel

Wählen Sie eine Situation und spielen Sie ein Gespräch.

Ihr Kind ist krank.
Es kann nicht in die Schule gehen. Sie rufen in der Schule an.

Sie sind krank.
Sie können nicht zum Deutschkurs kommen. Sie rufen in Ihrer Sprachschule an.

Ihr Kind ist krank.
Sie können nicht zum Deutschunterricht kommen. Sie rufen in Ihrer Sprachschule an.

... Schule, Sekretariat, ...

Oh, das tut mir leid. Ich sage es der Lehrerin / dem Lehrer. Gute Besserung.

Ja, guten Morgen, hier spricht ...
Mein Kind / Mein Sohn / Meine Tochter geht in die Klasse ...
Er/Sie kann heute nicht zur Schule kommen. Er/Sie ist krank.
Ich kann heute nicht zum Deutschkurs / zum Unterricht kommen.
Ich bin krank. / Mein Kind ist krank.
Ich gehe zum Arzt.

Grammatik

1 Modalverben: *können* und *wollen* ÜG 5.09, 5.10

	können	wollen
ich	**kann**	**will**
du	kannst	willst
er/es/sie	**kann**	**will**
wir	können	wollen
ihr	könnt	wollt
sie/Sie	können	wollen

2 Modalverben im Satz ÜG 10.02

	Position 2		Ende
Ich	kann	nicht zum Deutschkurs	gehen.
Sie	will	nicht zu spät	kommen.
Kannst	du	im Supermarkt	einkaufen?

Was können Sie (nicht)? Schreiben Sie drei Sätze.

Ich ... gut ...
... ein bisschen ...
... nicht ...

3 Perfekt mit *haben* ÜG 5.03

		haben + *ge...t*
lernen	er lernt	er hat gelernt
machen	er macht	er hat gemacht
spielen	er spielt	er hat gespielt
kaufen	er kauft	er hat gekauft

		haben + *ge...en*
treffen	er trifft	er hat getroffen
trinken	er trinkt	er hat getrunken
sprechen	er spricht	er hat gesprochen
schreiben	er schreibt	er hat geschrieben

Merke:
Oft bei *ge...en* :

schreiben – geschrieben
sprechen – gesprochen
trinken – getrunken

4 Perfekt mit *sein* ÜG 5.04

		sein + *ge...en* (• → •)
gehen	er geht	er ist gegangen
fahren	er fährt	er ist gefahren
kommen	er kommt	er ist gekommen

Ich bin gegangen.
Ich bin gefahren.

• ——→ •

5 Das Perfekt im Satz ÜG 10.02

	Position 2		Ende
Lara	hat	Tee	gemacht.
Ich	bin	spazieren	gegangen.
Bist	du	pünktlich	gekommen?

Kommunikation

STARKER WUNSCH: Was willst du lernen?

Was willst du / wollen Sie lernen? — *Ich will Jonglieren lernen.*

VORSCHLAG: Wollen wir Fahrrad fahren?

Wollen wir Fahrrad fahren?

FÄHIGKEIT: Ich kann sehr gut Ski fahren.

Kannst du / Können Sie Ski fahren? — *Ja, ich kann (sehr) gut / ein bisschen Ski fahren.*
Ja, (sehr) gut.
Nein, ich kann nicht (so) gut / gar nicht Ski fahren.
Nein, nicht so gut.

SICH / JEMANDEN ENTSCHULDIGEN: Ich bin krank.

Ich bin krank. — *Oh, das tut mir leid.*

Mein Kind / Mein Sohn / Meine Tochter ist krank. Ich/Er/Sie kann heute nicht nicht zum Deutschkurs / zum Unterricht kommen. — *Ich sage es der Lehrerin / dem Lehrer.*

Ich gehe zum Arzt. — *Gute Besserung.*

STRATEGIEN: Schade!

Ja, super! | *Nein, nicht so gern.* | *Schade!*

Schreiben Sie fünf Wünsche.

Ich will gut Deutsch lernen.
...

Sie möchten noch mehr üben?

Lernziele

Ich kann jetzt ...

A ... sagen: Das kann ich (nicht) gut:
Ich kann (nicht) gut Ski fahren. ☺ 😐 ☹

B ... sagen: Das möchte ich machen:
Ich will Lieder singen und Spiele machen. ☺ 😐 ☹

C ... sagen: Das habe ich gestern/früher/... gemacht:
Gestern habe ich gearbeitet. ☺ 😐 ☹

D ... sagen: Das habe ich gestern/früher/... gemacht:
Am Wochenende bin ich Fahrrad gefahren. ☺ 😐 ☹

E ... mich / mein Kind in der Schule / im Deutschkurs entschuldigen:
Ich kann heute leider nicht kommen. ☺ 😐 ☹

Ich kenne jetzt ...

... 5 Wörter zum Thema *Schule*:

Lehrer, ...

... 5 Aktivitäten im Deutschkurs:

ein Diktat schreiben, ...

... 5 Freizeitaktivitäten:

Fußball spielen, singen, ...

FILM

Ui!

1 Sehen Sie die Filmszenen an. Welche Ausrufe kennen Sie schon?

2 Arbeiten Sie mit Ihrer Partnerin / Ihrem Partner.
Suchen Sie drei Ausrufe aus und spielen Sie selbst kleine Szenen.

3 Spielen Sie die Szenen im Kurs vor.

LESEN

Abzählreime

1 Was passt? Lesen Sie die Reime und ordnen Sie zu.

*❶ Ene mene miste,
es rappelt in der Kiste,
ene mene meck
und du bist weg.*

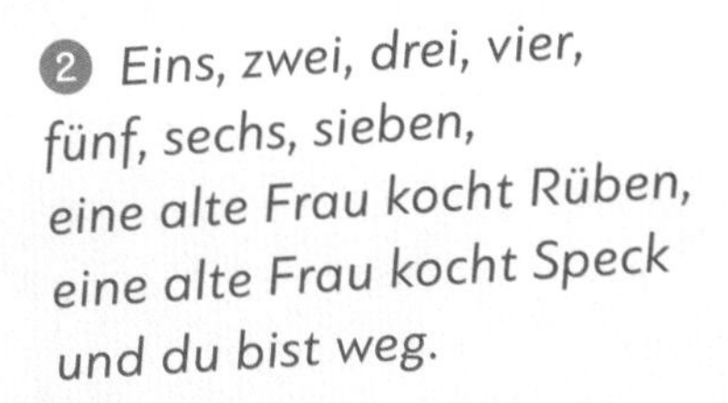

*❷ Eins, zwei, drei, vier,
fünf, sechs, sieben,
eine alte Frau kocht Rüben,
eine alte Frau kocht Speck
und du bist weg.*

*❸ Eine kleine Dickmadam
fährt mit der Eisenbahn,
steigt dann wieder aus
und du bist raus.*

2 🔊 68 **2** Hören Sie die Abzählreime. Welcher gefällt Ihnen gut?
Lernen Sie „Ihren" Abzählreim auswendig.
Wer hat noch „Ihren" Abzählreim gelernt?
Sprechen Sie zusammen im Chor.

Arbeitsbuch

A Guten Tag.

A2 **1 Was hören Sie? Kreuzen Sie an.**

1 🔊 1

○ Guten Tag! ○ Tschüs! ○ Morgen! ○ Tag! ☒ Guten Morgen!
○ Hallo! ○ Gute Nacht! ○ Nacht! ○ Guten Abend! ○ Auf Wiedersehen!

A2 **2 Hören Sie und sprechen Sie nach.**

1 🔊 2
Phonetik

Tag!	Guten Tag!	Morgen!	Guten Morgen!
Abend!	Guten Abend!	Guten Abend, meine Damen und Herren.	
Nacht!	Gute Nacht!	Wiedersehen!	Auf Wiedersehen!
Frau Schröder	Guten Morgen, Frau Schröder!	Felix	Auf Wiedersehen, Felix!

A2 **3 Ordnen Sie zu.**

~~Tag~~ Morgen Abend ~~Hallo~~ Auf Wiedersehen Gute Nacht Morgen Tag Abend ~~Tschüs~~

Hallo

Guten Tag
....
....
....
....
....

06:00
09:00
13:00
15:30
19:00
23:45

Tschüs
....
....

A2 **4 Ergänzen Sie.**

A
Gute Nacht, Frau Moreno.
.........., Herr Schneider.
23:00

B
.........., Rasha!
.........., Natalja!
09:30

C
.........., Kinder.
.........., Papa.
20:00

D
.........., Herr Celik.
Auf Wiedersehen, Herr Johnson.
16:00

E
.........., Klara!
.........., Ana!
14:30

B Ich heiße Lara Nowak.

B2 1 3 Phonetik

5 Hören Sie und sprechen Sie nach. Achten Sie auf die Satzmelodie: ↗ ↘.

a
- ◆ Entschuldigung. ↘ Wie heißen Sie? ↘
- ○ Ich heiße Eva Baumann. ↘ Und wie heißen Sie? ↗
- ◆ Ich heiße Angelika Moser. ↘

b
- ▲ Entschuldigung. ↘ Wie heißen Sie? ↘
- □ Ich bin Anna Lienert. ↘
- ▲ Guten Abend, Frau Lienert. ↘
- □ Und wie heißen Sie? ↗
- ▲ Mein Name ist Karl Huber. ↘

B2 1 4 Phonetik

6 Hören Sie und sprechen Sie nach. Achten Sie auf die Betonung: ____.

- ◆ Guten Tag. Ich bin Annalena.
- ○ Entschuldigung, wie heißen Sie?
- ◆ Annalena Adler.
- ○ Herzlich willkommen, Annalena.

B2

7 Ordnen Sie zu.

~~Ich bin Sandra Stein.~~ | Das ist Frau Papadopoulos. | Entschuldigung, wie heißen Sie? | Und wie heißen Sie? | Guten Tag, Herr Weinert, freut mich. | Mein Name ist Ulrike Springer.

a
- ◆ Hallo! *Ich bin Sandra Stein.*
  ....
- ○ ....

b
- ▲ Ich heiße Akello Keki.
- □ ....
- ▲ Akello Keki.
- □ Ah, ja. Guten Tag, Herr Keki.

c
- ◆ ....
- ● Guten Tag, Frau Papadopoulos. Ich bin Till Weinert.
- □ ....
- ● Herzlich willkommen bei EasyComputer.

B4 8 **Verbinden Sie und schreiben Sie.**

a Wie heißen — ist das? ....
b Mein Name — Finn. ....
c Und wie — Sie? — Wie heißen Sie?
d Ich — ist Lena Winter. ....
e Wer — heißen Sie? ....
f Das ist — heiße Sina. ....

B4 9 **Ordnen Sie zu und ergänzen Sie die Satzzeichen: ? oder .**

wie | wer | Das ist | ~~bin~~ | ist | ist | heiße | heiße | heißen | Herr

a
- Ich bin Andreas Zilinski (.)
- Entschuldigung, ... heißen Sie (?)
- Andreas Zilinski, und das .... Frau Kunz ( )

b
- Wer .... das ( )
- .... Felix ( )

c
- Ich .... Laura Weber ( )
  Und wie .... Sie ( )
- Ich .... Michaela Schubert ( )

d
- Das ist .... Hoffmann ( )
- Und .... ist das ( )
- Frau Kunz ( )

◇ **B4** 10 **Schreiben Sie Sätze und ergänzen Sie die Satzzeichen: ? oder .**

a heißen – wie – Sie – Und — Und wie heißen Sie (?)
b ist – Mein – Name – Annika Bauer .... ( )
c willkommen – bei Air-Jet – Herzlich .... ( )
d ist – Und – das – wer .... ( )
e Frau Kaufmann – Das – ist .... ( )

❖ **B4** 11 **Ergänzen Sie.**

a
- Hallo, ich bin Tim.
- Hallo, Tim. .... heiße Len.
  Und .... das?
- .... Jannis.

b
- Guten Tag, ... ist Mohammad Haaleh.
- Entschuldigung, ...?
- Mohammad Haaleh.
- Ah, ja. Guten Tag, ... Haaleh.

c
- Das ist Frau Santos.
- Guten Morgen, Frau Santos. Ich bin Kolja Steffens.
- Guten ...., Herr Steffens, ...
- Herzlich .... bei Sona.

d
- Wer ist Dario Cologna?
- .... nicht.

C Ich komme aus Polen.

C2 12 Ordnen Sie zu.

Wer bist du? | Und woher kommen Sie | ~~Wer sind Sie?~~ | Woher kommst du?

a

◆ Guten Tag. Ich heiße Ewa Kowalski.
Wer sind Sie?

○ Ich bin Monique Laval.

◆ Freut mich. ....
.................., Frau Laval?

○ Aus der Schweiz.

b

▲ Hallo. Ich bin Abdal. Und du?
....

□ Ich heiße Hugo und komme aus Portugal.
....

▲ Aus dem Sudan.

□ Ah, interessant.

C2 13 *du* oder *Sie*? Ordnen Sie zu.

du + Lara/Tim/... : A

Sie + Frau Nowak/Herr Baumann/... : ....

C3 14 Ordnen Sie die Gespräche.

a

- ◯ ◆ Indien! Interessant.
- ◯ ◆ Nein, nur ein bisschen.
- (1) ◆ Hallo! Ich heiße Asma. Und wie heißt du?
- ◯ ◆ Ich komme aus Syrien.
- ◯ ○ Und du? Woher kommst du?
- ◯ ○ Aha! Du sprichst gut Deutsch.
- ◯ ○ Ich bin Rajani. Ich komme aus Indien.

b

- ◯ ▲ Ja, stimmt.
- ◯ ▲ Auch Englisch. Das ist toll. Ich spreche Persisch und Arabisch.
- ◯ ▲ Aus Iran. Und was sprechen Sie, Herr Helios?
- (1) ▲ Guten Abend, ich bin Elmira Afarid. Und Sie? Wie heißen Sie?
- ◯ □ Ich spreche Griechisch, Englisch und ein bisschen Deutsch.
- ◯ □ Mein Name ist Helios, Jannis Helios. Ich komme aus Griechenland. Woher kommen Sie?
- (6) □ Sie sprechen auch ein bisschen Deutsch.

C3 15 Was hören Sie? Kreuzen Sie an.

1 ◀)) 5

	Karim	Heidi	Jan
Deutschland	○	☒	○
Polen	○	○	○
Iran	○	○	○
Köln	○	○	○
Berlin	○	○	○
Teheran	○	○	○
Frankfurt	○	○	○

	Karim	Heidi	Jan
Deutsch	○	○	○
Russisch	○	○	○
Persisch	○	○	○
Englisch	○	○	○
Arabisch	○	○	○
Polnisch	○	○	○

Karim

Heidi

Jan

C3 16 Ergänzen Sie.

Grammatik entdecken

ich	komme	sprech	heiß	bin
du	komm	i	ßt	
Sie	komm			

◇ C3 17 Was ist richtig? Kreuzen Sie an.

a Ich ○ heißen ○ heißt ☒ heiße Maria.
b Ich ○ kommst ○ komme ○ kommen aus Kroatien.
c Was ○ spreche ○ sprechen ○ sprichst Sie?
d Wie ○ heiße ○ heißt ○ heißen du?
e Und wer ○ ist ○ bist ○ sind Sie?
f Ich ○ spreche ○ sprechen ○ sprichst Englisch.
g Woher ○ kommst ○ komme ○ kommen Sie?
h Ich ○ ist ○ bin ○ bist Angelika.
i Was ○ spreche ○ sprichst ○ sprechen du?

❖ C3 18 Ergänzen Sie in der richtigen Form: *sprechen – kommen – heißen*.

a

◆ Hallo. Ich heiße Ali. Wie .... du?
○ Ich .... auch Ali.
◆ Und woher .... du? Auch aus Kamerun?
○ Nein, ich .... aus Nigeria.
Ich .... Englisch und ein bisschen Deutsch. Was .... du?
◆ Ich .... Englisch und Französisch.

b

▲ Guten Morgen, Frau Chuan.
Woher .... Sie?
□ Ich .... aus Thailand.
▲ Ah, schön. Und was .... Sie?
□ Ich .... Thai, Englisch und ein bisschen Deutsch.

C3 19 Welche Sprache passt? Ergänzen Sie.

Rumänien | Polen | Türkei | Ungarn | Spanien

a Rumänisch b .... c .... d .... e ....

D Buchstaben

D2 **20 Wie spricht man das? Hören Sie und sprechen Sie nach.**

1 🔊 6
Phonetik

ei	Türkei	Ich heiße Einstein.	Schreiben Sie.
eu	Deutschland	Du sprichst gut Deutsch.	Guten Tag, freut mich.
au	Frau Maurer	Ich heiße Maurer.	Ich heiße Laura und bin aus Augsburg.

D2 **21 Welche Namen hören Sie? Ergänzen Sie.**

1 🔊 7-12

a E w a ……………
b ……………
c ……………
d ……………
e ……………
f ……………

D2 **22 Was schreibt man groß? Korrigieren Sie.**

a
◆ M mein name ist anita. und wie heißt du?
○ ich heiße andreas.
◆ woher kommst du?
○ aus österreich.

b
▲ guten tag. wie ist ihr name, bitte?
□ mein name ist lukas bürgelin.
▲ woher kommen sie?
□ ich komme aus der schweiz.

D3 **23 Ergänzen Sie:** ***Tut mir leid. – Entschuldigung.***

a
◆ Entschuldigung.

b
▲ Wer ist das?
○ ……………
…………… . Ich weiß es nicht.

c
● Mein Name ist Hubert Hubschmer.
▼ ……………, wie ist Ihr Name?
● Hubert Hubschmer.

d
□ Sprechen Sie Russisch?
✚ Nein. ……………
…………… .

e
▲ Guten Tag, Frau Schneider. Ist Laura da?
○ Nein. ……………
…………… .

D

D3 **24 Ergänzen Sie das Telefongespräch.**

- F*irma* Ökotrans, Frederike Groß, guten M________.
- Guten Morgen. M________ Name ist Nguyen. Ist H________ Stolpe d________?
- Guten Morgen Herr ... E________, wie h________ Sie?
- Nguyen.
- Wie bitte? B________ Sie, bitte.
- Ich b________: N – G – U – Y – E – N.
- Vielen Dank, Herr Nguyen. Einen M________, bitte. ... Herr Nguyen?
  T________ mir l________. Herr Stolpe ist n________ da.
- Ja, gut. Danke. Auf W________.
- A________ Wiederhören, Herr Nguyen.

◇ D3 **25 Markieren Sie die Wörter. Schreiben Sie Sätze.**

a guten|tagmeinnameistbaumann *Guten* ________.
b istherrgülda ________?
c einenmomentbitte ________.
d tutmirleid ________.
e herrgülistnichtda ________.
f aufwiederhören ________.

❖ D3 **26 Ein Telefongespräch**

a Markieren Sie noch fünf Sätze.

GUNIC(GUTENTAG)AND(MEINNAMEISTBAUMANN)OENTSCHULDIGUNG
WIEISTIHRNAMECLAMSDERFILESOPISTHERRSCHNEIDERDABOTRASE
MICHBUCHSTABIERE:BAUMANNWABOTERANGICZRTUTMIRLEIDHERR
SCHNEIDERISTNICHTDAKLUMHANDANKEAUFWIEDERHÖRENAMSENI

Guten Tag. Mein Name ist Baumann.
____
____
____

b Ordnen Sie die Sätze.
Schreiben Sie ein Gespräch.

◇ Guten Tag. Mein ...
● ...

D3 **27 Das bin ich. Schreiben Sie Ihren Text.**

Schreib-training

Ich heiße Samira Rochdi. Ich komme aus Casablanca. Das ist in Marokko. Jetzt bin ich in Deutschland, in Freiburg. Ich spreche Arabisch, Französisch und Deutsch.

Ich heiße ...

E Adresse

E3 28 Ein Brief

a Ordnen Sie zu.

~~Familienname/Nachname~~ Stadt Vorname Straße Postleitzahl Hausnummer

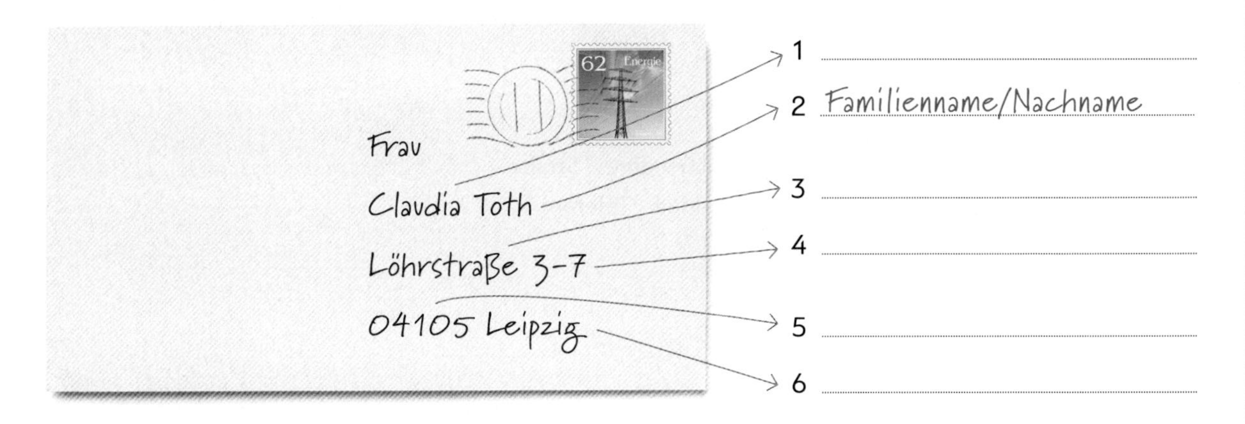

b Schreiben Sie die Adresse auf den Briefumschlag.

~~Herrn~~ Wilhelmstr. Obermeier Berlin 5 Max 13595

E3 29 Lesen Sie die Visitenkarte und füllen Sie das Formular aus.

C & C
Computersysteme

Lucia Alvarez
Webdesignerin

Weserstraße 215
D–12047 Berlin
030/80 92 44
l.alvarez@cc.de

Anmeldung Herr X Frau

Nachname:

Vorname:

Straße: Hausnummer: 215

Postleitzahl: Stadt:

Land:

E-Mail:

Telefon:

Test Lektion 1

1 Ergänzen Sie.

1 ...... /5 Punkte

WÖRTER

a H a l l o
b G ... r ...
c ... t ... d
d A ... s ...
e ... c ...
f ... u ... a ...

2 Ordnen Sie zu.

2 ...... /8 Punkte

Stadt Land Vorname Familienname Straße ~~Postleitzahl~~ Hausnummer E-Mail Telefon

Alina Egger → a ...... b ......
Bändelgasse 1 → c ...... d ......
4057 Basel → e Postleitzahl f ......
SCHWEIZ → g ......
+41 4161/822 94 33 → h ......
alina@egger.ch → i ......

...... 0–6 / 7–10 / 11–13

3 Ergänzen Sie.

3 ...... /3 Punkte

GRAMMATIK

a ◆ Wie heißen Sie? ○ Alina Egger.
b ◆ ...... kommen Sie? ○ Aus der Schweiz.
c ◆ Und ...... sprechen Sie? ○ Deutsch und Italienisch.
d ◆ ...... ist das? ○ Das ist Dario Egger.

4 Ergänzen Sie.

4 ...... /9 Punkte

a
◆ Hallo. Ich bin (1) Mercy. Wie h...... (2) du?
○ Ich h...... (3) Ebo und k...... (4) aus Ghana.
◆ Du s...... (5) gut Deutsch.
○ Nein, nur ein bisschen. Ich s...... (6) Französisch.

b
▲ Guten Morgen. Mein Name i...... (7) Hinata Numajiri.
□ Entschuldigung, wie h...... (8) Sie?
▲ Hinata Numajiri.
□ Ah, ja. Guten Morgen, Herr Numajiri. Ich b...... (9) John Winterfield und das i...... (10) Frau Bianchi.

...... 0–6 / 7–9 / 10–12

5 Ordnen Sie zu.

5 ...... /5 Punkte

KOMMUNIKATION

Einen Moment Tut mir leid Ich buchstabiere ~~Ja, gut~~ Entschuldigung danke

◆ Firma Computec, Moritz Spengler, guten Tag.
○ Guten Tag. Mein Name ist Paulinho. Ist Frau Egger da?
◆ Guten Tag Herr ... . (a), wie ist Ihr Name?
○ Paulinho. ...... (b): P – A – U – L – I – N – H – O.
◆ Ah, ja, ... (c), Herr Paulinho. ...... (d), bitte .... Herr Paulinho? ...... (e), Frau Egger ist nicht da.
○ Ja, gut (f). Danke. Auf Wiederhören.

...... 0–2 / 3 / 4–5

A Wie geht's? – Danke, gut.

A1 **1 Ergänzen Sie.**

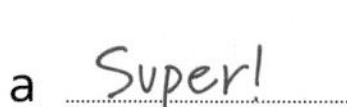

a .... b .... c .... d .... e ....

A2 **2 Satzmelodie und Satzakzent**

1 🔊 13 **a** Hören Sie und achten Sie auf die Betonung: ____.

Phonetik

1	2	3
◆ Wie geht es Ihnen? ↘	▲ Wie geht es dir? ↘	✚ Hallo, Tom. ↘ Wie geht's? ↘
○ Sehr gut. ↘ Und Ihnen? ↗	□ Gut. ↘ Danke. ↘ Und dir? ↗	● Nicht so gut! ↘ Und dir? ↗
◆ Auch gut. ↘ Danke. ↘	▲ Super! ↘	✚ Na ja, ↘ es geht. ↘

1 🔊 14 **b** Hören Sie noch einmal und sprechen Sie nach.

◇ A2 **3 Ordnen Sie zu.**

Wie geht es dir? ~~Wie geht es Ihnen?~~ Und dir? Und Ihnen? Es geht. Auch gut, danke.

a

◆ Guten Tag, Frau Jablonski.

Wie geht es Ihnen?

○ Danke, gut. ....

◆ ....

b

▲ Hallo, Tobias.

□ Hallo, Tanja. ....

▲ Super! ....

□ ....

❖ A2 **4 Schreiben Sie Gespräche.**

A

◆ Hallo, Jana. Wie ....

○ ....

◆ ....

B

▲ Guten Morgen, ...

□ ....

▲ ....

B Das ist **mein Bruder**.

B1 **5 Finden Sie noch sieben Familienmitglieder und ordnen Sie zu.**

C	H	W	A	L	U	A	N	I	E	R
A	N	D	L	T	O	C	H	T	E	R
S	C	H	W	E	S	T	E	R	G	E
G	E	S	M	U	O	P	S	B	S	N
T	M	U	T	T	E	R	M	R	O	K
V	A	S	T	K	I	N	L	A	H	E
A	C	H	O	S	S	T	I	O	N	L
T	B	R	M	D	E	O	P	A	R	I
E	M	Z	A	U	K	I	U	D	E	N
R	S	C	H	B	R	U	D	E	R	S

♂ Vater ....
....
....
....

♀ Tochter ....
....
....
....
....

B2 **6 Ergänzen Sie.**

Das ist meine Familie:

a
Das sind meine Geschwister:
mein .... Jonas und
meine .... Sandra.

b
Das sind meine ....:
mein .... Patrick,
meine .... Sandra
und mein .... Jonas.

c
Das sind meine
..................:
meine ....
und mein ....

d
Das sind meine ....:
meine ....
und mein ....

B2 **7 Markieren Sie in 6: *mein* – *meine* – *meine*. Ergänzen Sie dann.**

Grammatik entdecken

♂ mein ....

♀ meine ....

meine Geschwister, ...

B2 **8 Hören Sie und sprechen Sie nach. Klopfen Sie den Rhythmus.**

1 ◀)) 15
Phonetik

Das ist meine Frau.
Das sind meine Kinder.
Das ist meine Tochter.
Das ist mein Bruder.
Das ist mein Sohn.

B2 9 Was ist richtig? Kreuzen Sie an.

a

◆ Das sind ○ mein ☒ meine Kinder.
○ Aha. Und das ist ○ dein ○ deine Mann?
◆ Nein. Das ist ○ mein ○ meine Bruder.
○ Das sind ○ dein ○ deine Eltern?
◆ Ja, stimmt.
Das sind ○ mein ○ meine Vater und ○ mein ○ meine Mutter.

b

▲ Wer ist das? ○ Ihr ○ Ihre Tochter?
□ ○ Mein ○ Meine Tochter? Nein!
Das ist ○ mein ○ meine Schwester.
▲ Und wer ist das, Frau Steiner?
□ Das ist ○ mein ○ meine Enkelin Sara.
▲ Aha! ○ Ihr ○ Ihre Enkelin!

◇ B2 10 Ergänzen Sie.

a

◆ Das sind m*ein* Opa und m............ Oma.
○ Ah. D............ Großeltern!
◆ Ja.

b

▲ Das sind m............ Geschwister: m............ Bruder Emre und m............ Schwester Ahu.
□ Und wer ist das? Auch I............ Schwester?
▲ Nein. Das ist m............ Frau.

❖ B2 11 Ergänzen Sie.

a

◆ Guten Abend, Frau Altmann.
Wie geht es Ihnen?
○ Danke, gut. Das ist *mein* Mann.
◆ Ah, ... Mann. Freut mich. Guten Abend, Herr Altmann.
▲ Entschuldigung, ... Name ist nicht Altmann. Ich heiße Peters.
◆ Ah, ja.

b

□ Hallo, Florian. Das ist .... Schwester Ines.
✚ Ah, schön, ... Schwester.
Wie geht es dir, Iris?
● Gut, danke. Aber ich heiße nicht Iris.
.... Vorname ist Ines.
✚ Entschuldigung, Ines.

B2 12 Ordnen Sie zu.

bin ~~ist~~ ist ~~sind~~ sind sind mein mein mein ~~meine~~ meine meine meine meine

a Das *ist* *meine* Tochter und das .... Sohn.
b Das *sind* .... Bruder und .... Schwester.
c Das .... Kinder: .... Sohn Lukas und .... Tochter Stefanie.
d Das .... ich und das .... Eltern.

B3 13 Ein Interview: Schreiben Sie Fragen und ergänzen Sie die Antworten.

a ▲ *Wie ist Ihr Name*? □ *Mein* Name ist Manuela Klein.
b ▲ ....? □ Ich .... aus Österreich.
c ▲ ....? □ Ich .... Deutsch und ein bisschen Englisch.
d ▲ ....? □ Das .... meine Familie: .... Mann und .... Kinder.

C Er lebt in Poznań.

C1 14 Markieren Sie und ergänzen Sie.

Grammatik entdecken

a Das sind Herr und Frau Rossi. Sie leben in Frankfurt.
b Herr Rossi kommt aus Italien. Er wohnt jetzt in Deutschland.
c Frau Rossi kommt aus Deutschland. Sie spricht Deutsch und Italienisch.

a Herr und Frau Rossi → sie
b Herr Rossi → ....
c Frau Rossi → ....

◇ C1 15 Ergänzen Sie.

a Ich heiße Julia. Ich lebe in Deutschland. Ich wohne in Bremen.
b Mein Bruder heißt Florian. .... lebt in England. .... wohnt in London.
c Meine Schwester heißt Vanessa. .... lebt in Frankreich. .... wohnt in Marseille.
d Meine Eltern leben in der Schweiz. .... wohnen in Luzern.
e Ja, das ist meine Familie, ... ist international.

❖ C1 16 Schreiben Sie den Text neu mit *er – sie – sie.*

Forum international

Das ist Semra. Semra kommt aus der Türkei.
Und das ist Markus. Markus kommt aus Österreich.
Semra und Markus leben in Deutschland.
Semra und Markus wohnen jetzt in Berlin.
Semras Eltern leben auch in Deutschland.
Semras Eltern wohnen in Frankfurt.

Das ist Semra. Sie kommt aus der Türkei.
Und das ist Markus. ....
Semra und Markus ....
....
Semras Eltern ....
....

C3 17 Lesen Sie und markieren Sie. Ergänzen Sie dann die Tabelle.

Grammatik entdecken

	kommen	leben	heißen	sprechen	sein
ich					
du	kommst	lebst	heißt		
er/sie	kommt	lebt			
wir	kommen		heißen		sind
ihr		lebt	heißt	sprecht	
sie/Sie		leben		sprechen	sind

C3 18 Verbinden Sie und schreiben Sie.

a Wer sind — bist Naomi, oder? ....
b Und wer seid — sprecht gut Deutsch. ....
c Ihr — Sie? *Wer sind Sie?*
d Du — du Deutsch? ....
e Sie — ihr? ....
f Sprichst — sprechen gut Deutsch. ....

C3 19 Ergänzen Sie.

a
Hallo, ich h*eiße* Stéphane, ich k.......... aus Frankreich. Jetzt l.......... ich in Deutschland. Und das s.......... Max und Anja. Sie s.......... aus Deutschland. Wir drei w.......... in Dresden. Und wer b.......... du? Woher k.......... du?

b
Wie h.......... ihr?
Woher k.......... ihr?

c
Wie h.......... Sie?
Woher k.......... Sie?

◇ C3 20 Was ist richtig? Kreuzen Sie an.

a Er ☒ heißt ○ heißen ○ heiße Martin.
b Ich ○ lebe ○ lebst ○ leben in Stuttgart.
c Sie ○ bin ○ seid ○ ist aus Österreich.
d Wir ○ sind ○ seid ○ ist aus Rom.
e Ihr ○ wohnst ○ wohnen ○ wohnt in Vaduz.
f Sie ○ lernst ○ lerne ○ lernt Deutsch.
g Sie ○ ist ○ sind ○ seid Geschwister.

❖ C3 21 Schreiben Sie.

MEIN DEUTSCHKURS

a
ich | aus Polen | in Deutschland | Deutsch lernen

Hallo, ich *bin* Agnieszka. Ich .... aus .... und .... jetzt in Deutschland und .... Deutsch.

b
Marie | in Ulm | aus Frankreich | zusammen Deutsch lernen

Das ist Marie. .... in Ulm.
....
Wir .... zusammen ....

c
Marta und Xavi | aus Spanien | in Neu-Ulm | Spanisch, Englisch und Deutsch sprechen

Marta und Xavi ....
....
....
....

d
Herr Bauer, mein Deutschlehrer | aus Österreich | in Deutschland | sehr gut Deutsch sprechen

Das ist ....
....
....
....
.... Natürlich!

D Zahlen und Personalien

D1 22 Sie hören zehn Zahlen. Markieren Sie.

1 ◀)) 16

0	1	2	3	4	5	6	7	8	9	10
null	eins	zwei	drei	vier	fünf	sechs	sieben	acht	neun	zehn

11	12	13	14	15	16	17	18	19	20
elf	zwölf	dreizehn	vierzehn	fünfzehn	sechzehn	siebzehn	achtzehn	neunzehn	zwanzig

D1 23 Markieren Sie und ergänzen Sie die Zahlen.

VIERZEHNEINSZWANZIGSECHZEHNZWÖLFZWEISECHSSIEBENZEHN

a 14 b ____ c ____ d ____ e ____ f ____ g ____ h ____ i ____

D2 24 Ergänzen Sie die Telefonnummern.

a 15 11 08 fünfzehn, elf, null, acht

b 20 10 17 ____

c 12 06 04 ____

d 16 01 19 ____

◇ D3 25 Verbinden Sie.

a Wie heißen Sie?
b Woher kommen Sie?
c Wo sind Sie geboren? — 7
d Haben Sie Kinder?
e Wie ist Ihre Adresse?
f Wie ist Ihre Telefonnummer?
g Sind Sie verheiratet?

1 Aus der Türkei.
2 Elif Karadeniz.
3 Nein, ich bin geschieden.
4 089/20 02 20.
5 Ja, drei.
6 Hansastraße 10, 80686 München.
7 In Ankara.

❖ D3 26 Schreiben Sie Fragen.

◆ ____?
○ Maria Schröder.
◆ Wo sind Sie geboren?
○ In Halle.
◆ ____?
○ Stuttgart, Parkstraße 7.
◆ ____?
○ 23 57 18.
◆ ____?
○ Ja, zwei Kinder.
◆ ____?
○ Neun und elf Jahre.

D

D3 **27 Schreiben Sie einen Text über Manuel Souza.**

Schreib-training

Familienname	Souza		
Vorname	Manuel		
Heimatland	Portugal		
Geburtsort	Lissabon		
Wohnort	68161 Mannheim		
Familienstand	○ ledig	○ verwitwet	
	○ verheiratet	● geschieden	
Kinder	● 1 Kind	Alter	3
	... Kinder		
	○ keine Kinder		

Manuel Souza kommt aus ...

D3 **28 Schreiben Sie Informationen über sich und sprechen Sie mit Ihrer Partnerin / Ihrem Partner.**

Prüfung

Name? ....
Land? ....
Wohnort? ....
Telefonnummer? ....
Sprachen? ....

Ich heiße ...
Ich ...

Ich heiße Dario. Wie heißt du?

Mein Name ist Mariam.

D4 **29 Haben Sie Kinder?**

Ergänzen Sie *haben* in der richtigen Form.

a
◆ Hallo, eine Frage bitte: Hast du Kinder?
○ Nein. Ich .... keine Kinder.
Meine Schwester .... zwei Kinder.

b
◆ Und ihr? .... ihr Kinder?
▲ Ja, wir .... ein Kind.
◆ Interessant.

c
◆ .... Sie Kinder, Herr Zöllner?
□ Ja, ich .... drei Kinder.

d
◆ Äh, hallo, eine Frage. .... du auch ...?
✚ Ich .... jetzt Pause!

E Deutschsprachige Länder

E1 30 Mein Name ist ...

1 17-20 **a** Hören Sie. Wo leben die Personen? Ergänzen Sie.

1 Hanne Winkler lebt in Hamburg.
2 Ashraf Shabaro wohnt in ....
3 Thomas Gierl lebt in ....
4 Margrit Ehrler wohnt in ....

1 17-20 **b** Was ist richtig? Hören Sie noch einmal und kreuzen Sie an.

1
Hanne Winkler
☒ Sie kommt aus Stuttgart.
○ Stuttgart liegt in Norddeutschland.
○ Sie hat zwei Kinder.

2
Ashraf Shabaro
○ Er lebt in Deutschland.
○ Er ist ledig.
○ Er hat drei Kinder.

3
Thomas Gierl
○ Er ist verheiratet.
○ Er kommt aus Innsbruck.
○ Er lebt jetzt in Deutschland.

4
Margrit Ehrler
○ Sie ist in der Schweiz geboren.
○ Sie ist verheiratet.
○ Sie hat drei Kinder.

1 17-20 **c** Was ist richtig? Kreuzen Sie an. Hören Sie dann noch einmal und vergleichen Sie.

1 Mein Name ist ○ Frau Winkler. ☒ Hanne Winkler.
2 Ich bin ○ Ashraf Shabaro. ○ Shabaro.
3 Ich heiße ○ Thomas. ○ Herr Thomas.
4 Ich heiße ○ Frau Margrit Ehrler. ○ Margrit Ehrler.

E2 31 Lesen Sie und schreiben Sie die Antworten.

Ich bin Lenka.
Ich bin in Prag geboren. Prag ist die Hauptstadt von Tschechien.
Jetzt lebe ich in Lübeck.
Das ist in Norddeutschland. Ich bin verheiratet. Mein Mann ist Österreicher. Er heißt Manfred.
Er spricht sehr gut Tschechisch und perfekt Deutsch – natürlich!
Er ist Deutschlehrer. Wir haben zwei Kinder. Linda ist elf Jahre alt und Leo ist neun.

a Woher kommt Lenka?
....

b Wo ist Lübeck?
....

c Woher kommt Manfred?
....

d Was spricht Manfred?
....

e Hat Lenka Kinder?
Ja, zwei.

f Wie alt sind Lenkas Kinder?
....

Test Lektion 2

1 Ergänzen Sie.

1 ...... /7 Punkte

WÖRTER

a meine Eltern = mein Vater und meine ......
b meine Geschwister = mein ...... und meine ......
c meine Kinder = mein ...... und meine ......
d meine Großeltern = mein ...... und meine ......

2 Ergänzen Sie die Zahlen.

2 ...... /5 Punkte

a 4 vier
b 9 ......
c 16 ......
d 13 ......
e 11 ......
f 20 ......

3 Ergänzen Sie.

3 ...... /4 Punkte

◆ Wo w o h n e n (a) Sie, Herr Jovanović?
○ In Bielefeld.
◆ Und wo sind Sie __ __ b __ __ __ (b)?
○ In Belgrad. Das ist die H __ __ __ __ __ __ __ __ __ (c) von Serbien.
◆ Aha. Haben Sie F __ __ __ __ __ __ (d) hier in Deutschland?
○ Ja. Ich bin __ __ __ h __ __ __ __ __ __ t (e) und habe zwei Kinder.

...... ● 0–8 ● 9–12 ● 13–16

4 Ordnen Sie zu.

4 ...... /7 Punkte

GRAMMATIK

dein deine Er Ihre mein ~~meine~~ sie Sie

a
◆ Haben Sie Kinder, Frau Glöckl?
○ Ja. Das sind meine Kinder.
◆ Wie alt sind ...... Kinder?
○ ...... sind 19 und 20.

b
▲ Das ist ...... Mann.
□ Woher kommt ...... Mann?
▲ Aus der Ukraine. ...... lebt schon 20 Jahre in Deutschland.

c
✚ ...... Tochter lebt in Paris, oder?
● Ja, ... lernt Französisch.

5 Ergänzen Sie in der richtigen Form.

5 ...... /10 Punkte

◆ Wir sind (sein) Dascha und Mascha. Wir ...... (kommen) aus Russland. Wir ...... (leben) in der Schweiz. Wir ...... (sprechen) Russisch und Deutsch. Und Mascha ...... (sprechen) auch gut Englisch.
○ Aha. Und ...... (sein) ihr verheiratet? ...... (haben) ihr Kinder?
◆ Ich ...... (sein) ledig und ...... (haben) keine Kinder. Mascha ...... (sein) verheiratet. Sie ...... (haben) eine Tochter.

...... ● 0–8 ● 9–13 ● 14–17

6 Schreiben Sie Fragen.

6 ...... /4 Punkte

KOMMUNIKATION

a
◆ Hallo, Sarah. Na, wie geht's (1)?
○ Danke, gut. ...... (2)?
◆ Auch gut, danke. Das ist Herr Mbuta.
○ Guten Tag. ...... (3)?
▲ Sehr gut.

b
□ Herr Mbuta, ...(4)?
▲ Ich wohne in Berlin.
□ ...... (5)?
▲ Friedrichstraße 118, 10117 Berlin.
□ Vielen Dank.

...... ● 0–2 ● 3 ● 4

Ein Formular ausfüllen

Luisa Campillo Olmedo meldet ihre Tochter Marta in der Stadtbibliothek an. Füllen Sie das Formular aus.

SCHÜLERAUSWEIS
Erich-Kästner-Schule Glückstadt • Klasse 3a

Marta Díaz Campillo
Kieselweg 12 • 25348 Glückstadt
Geburtsdatum: 18.07.2007
Geburtsort: Zaragoza, Spanien

Stadtbibliothek

Anmeldeformular für Kinder und Jugendliche unter 18 Jahren

Ich, *Luisa Campillo Olmedo*
(Vorname und Nachname der/des Erziehungsberechtigten)

erlaube ☐ meiner Tochter ☐ meinem Sohn

Familienname: *Díaz Campillo*

Vorname: ______

☒ weiblich ☐ männlich

Nationalität: *Spanisch*

Geburtsdatum: ______

Straße: ______ Hausnummer: ______

Postleitzahl: ______ Ort: ______

folgende Medien aus der Stadtbibliothek zu entleihen:

☒ Bücher, Zeitschriften, Hörbücher, Spiele

☒ CDs, DVDs, DVD-ROMs

1.10.20.. *Luisa Campillo Olmedo*
Datum Unterschrift des/der Erziehungsberechtigten

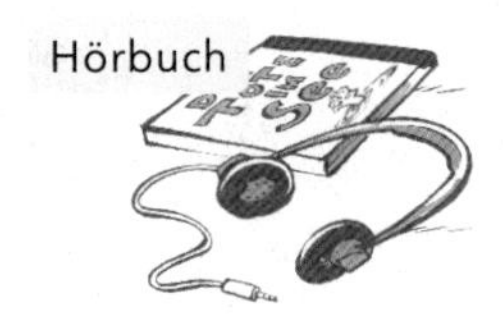

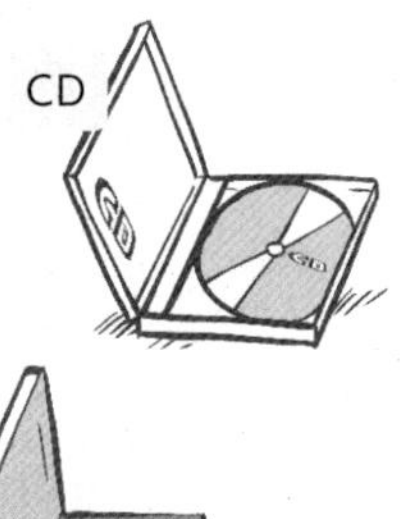

Fokus Beruf: *Du oder Sie?*

1 Der erste Arbeitstag

a Was meinen Sie? Was sagt Nurcan: *du* oder *Sie*? Kreuzen Sie an.

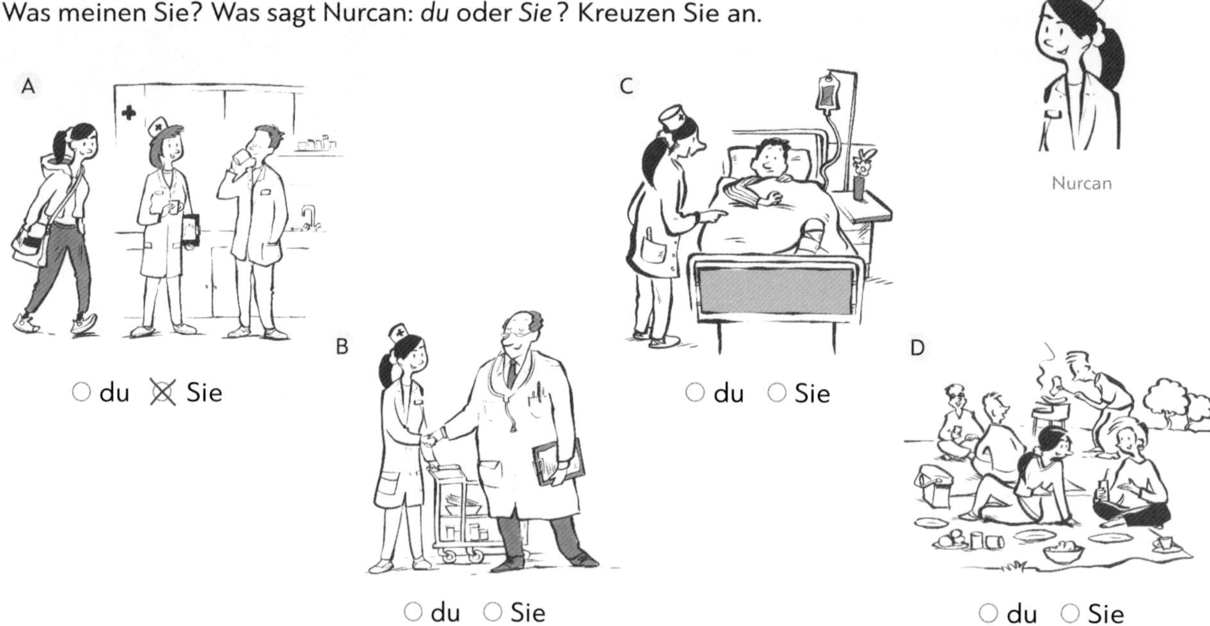

A ○ du ☒ Sie

B ○ du ○ Sie

C ○ du ○ Sie

D ○ du ○ Sie

1 🔊 21-24 **b** Hören Sie und vergleichen Sie.

2 Ordnen Sie zu.

A

das ist | Willkommen | ~~wer sind Sie~~

- ◆ Hallo. Ich heiße Nurcan. Nurcan Kara. Und wer sind Sie ?
- ○ Ich bin Martin Franke und .... Alena Schuster.
- ▲ Hallo, Frau Kara. .... im Team.
- ◆ Danke.

B

Freut mich | Mein Name ist

- ◽ Guten Tag. Wer sind Sie?
- ◆ Guten Tag. .... Nurcan Kara.
- ◽ Ah! .... Ich bin Dr. Schneider, Chefarzt.

C

wie geht es Ihnen denn | nicht so gut

- ◆ Guten Tag, Herr Voss. Na, ... ?
- ✚ Ach, ...
- ◆ Das tut mir leid.

D

Wie geht es dir | Danke, super

- ▲ ...., Nurcan? Wie ist die Arbeit?
- ◆ ....! Die Arbeit macht Spaß.

3 Sie sind neu in der Firma. Spielen Sie weitere Gespräche.

- ◆ Guten Morgen. Mein Name ist ...
- ○ Ah, hallo, Frau/Herr ... Willkommen. Ich bin ... und das ist Frau ...

  ...

A Haben wir Zucker?

A1 **1 Markieren Sie die Wörter und ordnen Sie zu.**

A(KÄSE)DEFISCHNBROTUNBUTTERMIBIERFIFLEISCHOMEHLERTEEN

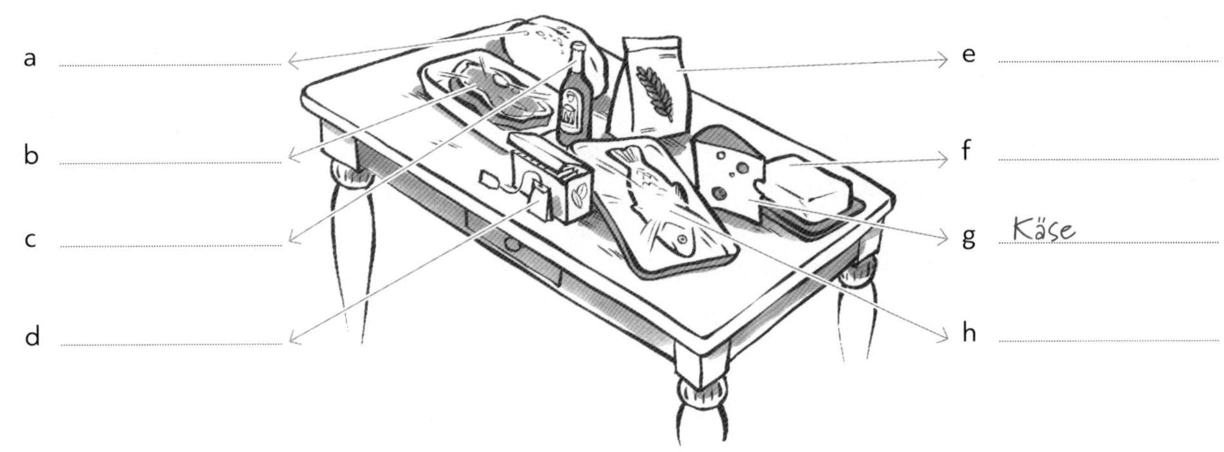

a ....
b ....
c ....
d ....
e ....
f ....
g Käse
h ....

◇ A1 **2 Wie heißen die Wörter? Ergänzen Sie.**

a Reis
b ....
c ....
d ....
e ....
f ....

Hallo Jonas, kaufst du bitte
- R...s
- Mil..
- S...okola..
- Zu...er
- W..n
- Mineralw....r

Danke. Jenny

◆ A1 **3 Wie heißen die Wörter? Ergänzen Sie.**

a ceFhils Fleisch
b cekruZ ....
c alSz ....
d Berttu ....
e chilM ....
f irBe ....

A3 **4 Satzmelodie in Fragen**

1 25 Phonetik

a Hören Sie und ergänzen Sie die Satzmelodie: ↗ oder ↘.

◆ Haben Sie Salz? ↗
○ Salz? ↗
Ja, natürlich. ↘

◆ Ich brauche Salz. ↘
Wo ist das denn? ↘
○ Hier. ↘

1
◆ Brauchen wir Käse? ↗
○ Nein. ......
◆ Wo haben wir Käse? ......
○ Hier. ......

2
◆ Ist das Zucker? ......
○ Nein. ...... Das ist Salz. ......
◆ Und was ist das? ......
○ Das ist Mehl. ......

3
◆ Haben wir Reis? ......
○ Nein. ......
◆ Wir brauchen Reis. ......
Was brauchen wir noch? ......
○ Tee und Schokolade. ......

1 25 **b** Hören Sie noch einmal und spielen Sie dann die Gespräche.

A3 5 Verbinden Sie.

a Brauchen wir Mineralwasser? — 3
b Was brauchen wir?
c Hast du Reis?
d Ist das Wein?
e Wie heißt du?
f Ist das Frau Kurowski?
g Heißt du Nikolaj?
h Herrmann – Ist das Ihr Vorname?
i Kommst du aus Österreich?

1 Eva.
2 Nein, ich heiße Markus.
3 Nein.
4 Nein, tut mir leid.
5 Nein, das ist Frau Meier.
6 Nein, mein Familienname.
7 Nein, das ist Bier.
8 Ja, aus Graz.
9 Brot und Milch.

A3 6 Ergänzen Sie die Tabellen.

Grammatik entdecken

~~Meine Schwester heißt Nadja.~~ ~~Hast du Geschwister?~~ Wie ist Ihr Name? Heißt du Julia? Wohnst du in Leipzig? Mein Bruder heißt Max. Ich heiße Adem. Ist Adem Ihr Vorname? Kommen Sie aus der Türkei? Woher kommen Sie? Wir haben drei Kinder. Sind Sie Herr Brummer?

Meine Schwester	heißt	Nadja.
Wie		

Hast	du Geschwister?

◇ A3 7 Schreiben Sie Fragen.

a du – kommst – woher Woher kommst du?
b Sie – aus Italien – kommen ……………
c Sie – in Deutschland – wohnen ……………
d Reis – das – ist ……………
e Tee – du – hast ……………
f wohnen – Sie – wo ……………

❖ A3 8 Schreiben Sie Fragen.

a ◆ Wie heißen Sie? ○ Ich heiße Martin.
b ◆ …………… Ihr Vorname? ○ Nein, das ist mein Familienname.
c ◆ ……………? ○ Mein Bruder.
d ◆ …………… Kunzmann? ○ Nein, ich heiße Künzelmann.
e ◆ ……………? ○ Ja, ich habe eine Tochter.
f ◆ ……………? ○ Danke gut. Und Ihnen?
g ◆ …………… Österreich? ○ Nein, aus der Schweiz.
h ◆ …………… Frankfurt? ○ Nein, ich wohne in Heidelberg.

B Das ist doch **kein** Ei.

B2 9 Wortakzent

1 26 **a** Hören Sie und achten Sie auf die Betonung: .

Phonetik

eine Banane ein Apfel ein Kuchen ein Brötchen ein Würstchen
eine Birne eine Tomate eine Kiwi ein Schokoladenei

1 26 **b** Hören Sie noch einmal und markieren Sie in a: lang (a, u ...) oder kurz (a, u ...).

1 27 **c** Hören Sie und sprechen Sie nach.

- Ist das ein Brötchen? ↗
- Das ist doch kein Brötchen. ↘
  Das ist Brot. ↘
- Und was ist das? ↗
- Das ist eine Tomate. ↘
- Ah! → Kein Apfel? ↗

B2 10 Ordnen Sie zu.

~~Apfel~~ Banane Birne Brötchen Ei Kiwi Kuchen Orange Tomate Würstchen

Das ist •• **ein**	Das ist • **eine**
Apfel	

B2 11 Was ist das? Ordnen Sie zu.

~~ein Kind~~ • eine Stadt • ein Foto • eine Zahl • ein Land • ein Vorname • ein Mann • ein Buchstabe • eine Frau

Das ist ...

a • ein Kind ....

b .... Jasmin .... 309 .... M

c .... HAMBURG ....

B3 12 Was ist richtig? Kreuzen Sie an.

a
- Was ist das?
- Das ist ☒ ein ○ eine Würstchen.
- Ist das ○ ein ○ eine Tomate?
- Nein, das ist ○ kein ○ keine Tomate.

b
- Wie heißt das auf Deutsch?
- Das ist ○ ein ○ eine Kiwi.

c
- Hier: ○ ein ○ eine Brötchen.
- Das ist doch ○ kein ○ keine Brötchen.
  Das ist ○ ein ○ eine Kuchen.

d
- Das ist ○ kein ○ keine Apfel, oder?
- Nein, das ist ○ ein ○ eine Birne.

◇ B3 13 Ordnen Sie zu.

ein ein ein eine eine ~~kein~~ kein keine

a
- Oh, ______ Apfel. Danke.
- Das ist kein Apfel.
  Das ist ______ Tomate.

b
- Wie heißt das auf Deutsch? Brot?
- Das ist doch ______ Brot.
  Das ist ______ Brötchen.

c
- Ist das ______ Orange?
- Das ist ______ Orange.
  Das ist ______ Apfel.

❖ B3 14 Schreiben Sie Sätze.

a
Das ist kein Apfel.
Das ist eine Birne.

b
Das ist ______
das ist ______

c
______
______
______

d
______
______
______

B4 15 *ein – eine – mein – meine*

Grammatik entdecken

a Ergänzen Sie.

- Da ist ein Brötchen.
- Und auch ______ Banane.
- Und da ist ______ Apfel.
- Und ______ Tomate.
- Und ______ Ei.
- Und ich? Was habe ich?

- Das ist mein Brötchen!
- Das ist ______ Banane!
- Das ist ______ !
- Das ist ______ !
- Das ist ______ !

b Ergänzen Sie die Tabelle.

• ein Brötchen	• kein Brötchen	• mein Brötchen
	• keine Banane	

C Kaufst du bitte zehn **Eier**?

C2 16 Hören Sie und zeichnen Sie.

1 28

C2 17 Ergänzen Sie.

a ein Würstchen fünf Würstchen
b eine Orange drei ...
c ein Brot zwei ...
d ein Ei sechs ...
e eine Kiwi vier ...
f ein Apfel elf ...

C3 18 Zehn Eier, zwei Bananen ...

Grammatik entdecken

a Ordnen Sie zu.

~~ein Ei~~ ~~eine Banane~~ ~~ein Apfel~~ ein Brot ein Brötchen eine Kiwi ein Pfannkuchen eine Orange ein Würstchen eine Tomate eine Birne eine Kartoffel ein Joghurt eine Zwiebel

-/¨	-(e)n	-e/¨e	-er/¨er	-s
Äpfel	Bananen		Eier	

b Suchen Sie im Wörterbuch. Machen Sie eine Tabelle wie in a und ordnen Sie zu.

eine Frau ein Mann ein Bruder eine Schwester ein Kind eine Tochter ein Sohn eine Oma ein Opa eine Mutter ein Vater ein Papa eine Enkelin eine Familie ein Name eine Sprache ein Buchstabe eine E-Mail ein Land eine Stadt eine Straße ein Kurs ein Formular eine Adresse eine Zahl ein Jahr

◇ C3 19 Ergänzen Sie.

❖ C3 20 Wie viele ... hat Maria? Ergänzen Sie.

a Maria hat vier Kinder, zwei S.................... und zwei T.................... .

b Sie hat eine Oma.................... und zwei O.................... .

c Sie hat drei B...................., aber keine S.................... .

C3 21 Schreiben Sie Fragen und ergänzen Sie die Antworten.

a	▲ Sind das Zwiebeln?	◻ Nein, das sind keine Zwiebeln.
b	▲ Ist das ein Ei?	◻ Nein, das ist kein Ei.
c	▲ Ist das eine Birne?	◻ Nein, das ist ....
d	▲ ....?	◻ Nein, das sind keine Kartoffeln.
e	▲ Sind das Brote?	◻ Nein, das sind ....
f	▲ ....?	◻ Nein, das ist kein Würstchen.
g	▲ Ist das ein Joghurt?	◻ Nein, das ist ....

C3 22 Was braucht Frau Wagner? Was braucht sie nicht? Hören Sie und ergänzen Sie.

1 🔊 29

Frau Wagner braucht drei Bananen, ...

Sie braucht keine Äpfel, kein ....

D Preise und Mengenangaben

D1 23 Preise

a Wie sagt man das? Ergänzen Sie.

1 3,49 € drei Euro neunundvierzig
2 8,90 € ……………………
3 11,65 € ……………………
4 0,77 € ……………………
5 0,50 € ……………………

1 30 **b** Hören Sie und sprechen Sie nach.

D1 24 Hören Sie und verbinden Sie die Zahlen.

30 21 25 39 20 42 45 26 24 33 84 43 38 37 28 48 63 82 54 81 93 75 36 72 70 67 86 83

1 31

D3 25 Was kauft Herr Schwarz? Lösen Sie das Rätsel.

Lösung: Herr Schwarz kauft ……………………

D3 26 Ordnen Sie zu.

Liter Packung Kilo Flasche Becher Gramm ~~Dose~~

- Na, was brauchst du denn?
- Eine Dose Tomaten, 200 …………… Wurst, eine …………… Saft, zwei …………… Milch, zwei …………… Orangen und eine …………… Kaffee, bitte. Und was kostet ein Joghurt?
- Ein …………… kostet 49 Cent, fünf kosten zwei Euro.

D3 27 Ergänzen Sie: *kostet – kosten*.

a Was kostet eine Flasche Tomatensaft? — 4,79 Euro.
b Was? ... Und wie viel …………… ein Pfund Brot? — 3,50 Euro.
c Nein, kein Brot. Was …………… zehn Brötchen? — 4,20 Euro.
d 4,20 Euro?! Nein, danke. Was …………… 200 Gramm Käse? — 4,99 Euro.
e 4,99 Euro, pfff! Und wie viel …………… eine Flasche Wein? — 12 Euro.

E Einkaufen und kochen

E2 28 Ergänzen Sie „möchte" in der richtigen Form.

a
- Was möchten Sie, bitte?
- Ich .... 100 Gramm Käse.

c
- Wir .... Schokolade, Mama!
- Tut mir leid, wir haben keine Schokolade.

b
- .... du auch Tee?
- Ja, bitte.

d
- Mama, wir haben Hunger.
- .... ihr Pfannkuchen?
- Ja! Bananenpfannkuchen.
- Nein! Pfannkuchen mit Zucker.
- Also ... Meine Kinder .... Pfannkuchen. Mein Sohn .... Bananenpfannkuchen, meine Tochter .... Pfannkuchen mit Zucker. Und ich? Ich .... Schokoladenpfannkuchen!

E2 29 An der Fleischtheke: Ordnen Sie zu.

Möchten Sie | ~~Kann ich Ihnen helfen~~ | Das ist alles | brauche auch | Sonst noch etwas | ich hätte gern

- Guten Tag. Kann ich Ihnen helfen?
- Ja, ... 200 Gramm Wurst.
- Gern. .... sonst noch etwas?
- Ja, bitte. Ich .... Hackfleisch.
- Wie viel?
- Ein Pfund.
- Hier bitte. ....?
- Nein, danke. ....

E2 30 Auf dem Markt: Ergänzen Sie.

- Bitte schön?
- Guten Tag, ...

- Wie viel möchten Sie denn?
- Ein Kilo.
- Gern. Sonst noch etwas?
- Ja, ich ....
- Hier, bitte. Möchten Sie sonst noch etwas?
- Nein, ...
- Das macht dann vier Euro.

E3 31 Ein Brötchen hat viele Namen.

1 ◀)) 32 **a** Wie heißt *Brötchen* noch? Hören Sie und kreuzen Sie an.

○ Semmel ☒ Rundstück ○ Wecken ○ Hering ○ Kuchen ○ Schrippe

1 ◀)) 32 **b** Wo sagt man was? Hören Sie noch einmal und ergänzen Sie.

1 Hamburg: Rundstück
2 Stuttgart: ....
3 München: ....
4 Berlin: ....

E3 32 Lesen Sie und kreuzen Sie an: richtig oder falsch?

Prüfung

a In der Bäckerei

Ein Brötchen kostet 39 Cent. ○ richtig ○ falsch

b In der Sprachenschule

Ein Kaffee kostet 1,20 Euro. ○ richtig ○ falsch

c Im Supermarkt

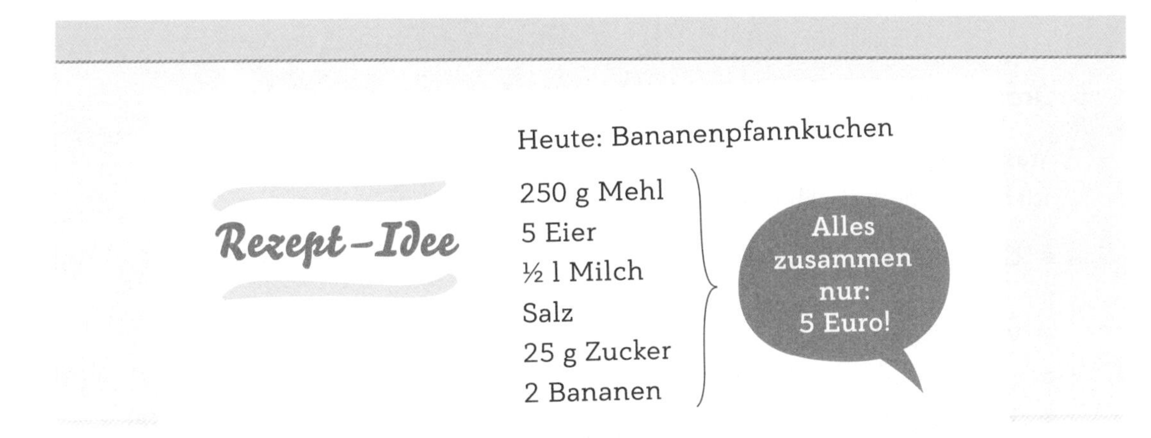

Für Bananenpfannkuchen brauchen Sie ein Pfund Mehl. ○ richtig ○ falsch

Test Lektion 3

1 Bilden Sie Wörter und ordnen Sie zu.

1 ___ /5 Punkte

WÖRTER

was ~~lo~~ Kar ghurt schen feln ne Fla cher Mi
tof ser Be Jo ~~Ki~~ ral

a
ein Kilo ___
___

b
zwei ___
___

c
zwei ___
___

___ 0–2 / 3 / 4–5

2 Schreiben Sie Fragen.

2 ___ /4 Punkte

GRAMMATIK

a Sind das Äpfel ? (das – Äpfel – sind)
b ___ ? (Brot – bitte – du – kaufst)
c ___ ? (möchten – Sie – was)
d ___ ? (wir – brauchen – Orangen)
e ___ ? (brauchen – was – wir)

3 Ordnen Sie zu.

3 ___ /7 Punkte

ein ein eine eine kein keine keine ~~meine~~

a
◆ Hmm, Schokolade!
○ He! Das ist meine Schokolade.

b
◆ Haben Sie Äpfel?
○ Nein, ich habe ___ Äpfel.

c
◆ Wie heißt das auf Deutsch?
○ Das ist ___ Würstchen.
◆ Und ist das ___ Birne?
○ Nein. Das ist doch ___ Birne.
◆ Ist das ___ Ei?
○ Nein, das ist ___ Ei, das ist ___ Kartoffel.

4 Ergänzen Sie.

4 ___ /5 Punkte

a eine Banane fünf Bananen
b ein Kuchen vier ___
c ein Würstchen zwei ___
d eine Kiwi drei ___
e ein Ei sechs ___
f ein Brot zwei ___

___ 0–8 / 9–12 / 13–16

5 Ordnen Sie zu.

5 ___ /5 Punkte

KOMMUNIKATION

Was kosten Ein Pfund, bitte ~~Ich hätte gern~~ das ist alles
ich brauche noch Hackfleisch 100 Gramm Wurst

◆ Guten Tag, was möchten Sie?
○ Ich hätte gern (a) Wurst.
◆ Wie viel möchten Sie denn?
○ ___ (b) 100 Gramm?
◆ 1,90 Euro.
○ Gut, ___ (c), bitte. Und sechs Eier.
◆ Gern. Sonst noch etwas?
○ Ja, ___ (d).
◆ Wie viel?
○ ___ (e).
◆ Noch etwas?
○ Nein, ___ (f).

___ 0–2 / 3 / 4–5

Fokus Alltag: Eine Produktinformation verstehen

1 Ordnen Sie zu.

~~kühl und trocken lagern~~ kühl und dunkel lagern mindestens haltbar bis

A

B

C

kühl und trocken lagern

2 Lale liest die Produktinformationen.
Lesen Sie und verbinden Sie.

Joghurt aus Österreich
3,8 % Fett
mindestens haltbar bis 31.12.20..

A

Bio-Joghurt
1,8 % Fett
kein Zucker
mindestens haltbar bis 31.12.20..

3,8% = drei Komma acht Prozent

B

Apfelschorle
Zutaten: 60 % Apfelsaft, Mineralwasser
kein Zucker
mindestens haltbar bis 04/20..

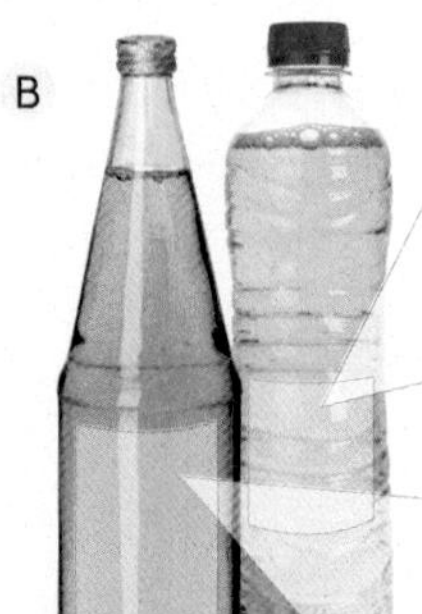

100% Apfelsaft
kühl und dunkel lagern
mindestens haltbar bis 04/20..

C

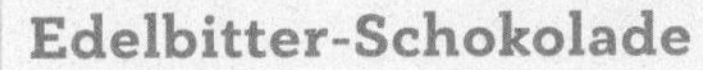

Edelbitter-Schokolade
Zutaten: Kakao mindestens 85 %, Zucker, Vanille
kühl und trocken lagern
mindestens haltbar bis 01/20..

Vollmilchschokolade
Zutaten: Kakao, Zucker, Milch
kühl und trocken lagern
mindestens haltbar bis 09/20..

A	Im Bio-Joghurt ist	kühl und dunkel.
	Der Joghurt aus Österreich	ist Wasser.
B	In Apfelschorle	kein Zucker.
	Lale lagert Apfelsaft	mindestens haltbar bis 09/20..
C	Lale lagert Edelbitter-Schokolade	hat 3,8% Fett.
	Die Vollmilchschokolade ist	kühl und trocken.

Fokus Beruf: Im Internet bestellen

1 Simona Nováková bestellt Getränke für die Kantine.
Lesen Sie den Einkaufszettel und ergänzen Sie das Online-Formular.

16 Flaschen Orangensaft
8 Flaschen Apfelsaft
50 Flaschen Mineralwasser still
50 Flaschen Mineralwasser classic
1 Kasten Bier
1 Kasten Weißbier

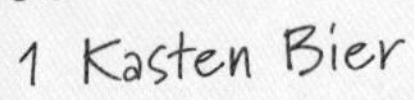

Der Online-Getränkemarkt in Frankfurt am Main

WILLKOMMEN | BESTELLEN | ADRESSE EINGEBEN | BEZAHLEN | BESTELLUNG PRÜFEN

▶ **Bitte prüfen Sie Ihre Bestellung.**

Lieferadresse
Firma Müller & Müller
Kantine
Hegelstraße 33
63165 Mühlheim

Rechnungsadresse
= Lieferadresse

Zahlungsart
Rechnung

Ihre Bestellung

Produkt	Preis in Euro	Menge	Gesamtpreis in Euro
Mineralwasser still (10 Flaschen)	1,65	...5... (a)	8,25
Mineralwasser classic (10 Flaschen)	1,65	5	...... (b)
Orangensaft (8 Flaschen)	9,52	...... (c)	19,04
.... (d) (8 Flaschen)	7,60	1	7,60
.... (e) (1 Kasten/24 Flaschen)	14,36	1	14,36
Weißbier (1 Kasten/20 Flaschen)	12,49	...... (f)	12,49
Preis			69,99
zzgl. Mehrwertsteuer 19 %			13,30
Gesamtpreis			83,29

jetzt kaufen

2 Was ist richtig? Lesen Sie noch einmal und kreuzen Sie an.

a Wie heißt die Firma? ○ Simona Nováková ☒ Müller & Müller
b Wie viel kosten die Getränke zusammen? ○ 13,30 Euro ○ 83,29 Euro
c Wie bezahlt Simona? ○ Kreditkarte ○ Rechnung

A Das Bad ist dort.

A1 **1 Wie heißen die Wörter? Ergänzen Sie.**

a lurF Flur
b echüK ……
c erihnzmmWo ……
d Tettiole ……
e laBnok ……
f dBa ……

A2 **2 Ordnen Sie die Wörter aus 1 zu und ergänzen Sie: *der – das – die*.**

● ein/der	● ein/……	● eine/……
Flur	……	……
……	……	……

A2 **3 Ergänzen Sie: *ein – eine – der – das – die*.**

a
◆ Herzlich willkommen. Das ist meine Wohnung.
○ Schön! Aber sagen Sie mal, ist hier auch ein Bad?
◆ Natürlich, hier ist alles: …… Schlafzimmer, …… Wohnzimmer, auch …… Bad und …… Balkon.

b
◆ …… Wohnzimmer ist hier.
○ Oh, …… Wohnzimmer ist klein!

c
○ Ach, und hier ist …… Bad?
◆ Ja, das ist …… Bad.

d
◆ Hier ist …… Schlafzimmer.
○ Ah, ja!

e
○ Haben Sie auch …… Küche?
◆ Ja, …… Küche ist dort.

◇ **A2** **4 Ordnen Sie zu.**

● der Gemüseladen ● eine Bäckerei ● eine Stadt ● Die Bäckerei ● ein Gemüseladen ● die Hauptstadt ~~● eine Stadt~~ ● Die Stadt

a Wien ist eine Stadt. Wien ist …… von Österreich.
b Kiel ist …… in Norddeutschland. …… ist sehr schön.
c ◆ Entschuldigung. Ist hier ……?
○ Ja, dort im „MiniPlus".
…… dort ist gut und billig.
◆ Ich brauche auch Gemüse. Ist im „MiniPlus" auch ……?
○ Ja, …… „Grün & Frisch".

❖ A2 5 Ergänzen Sie: *ein – eine – der – das – die* oder */*.

a

◆ Ich gehe jetzt einkaufen. Ist noch __/__ Obst da? Und auch noch ______ Mineralwasser?
○ Oh, hier sind __die__ Sonderangebote: ______ Mineralwasser kostet 42 Cent pro Flasche. Auch ______ Obst ist billig und ______ Fleisch kostet 7 Euro 49.
◆ Wir brauchen kein Fleisch. Wir brauchen Brot.
○ Super! Dort ist auch ______ Bäckerei. ______ Kuchen dort ist gut!

b

◆ Ich wohne in Frankfurt. Kennst du Frankfurt?
○ Nein, ist das ______ schöne Stadt?
◆ Ja, ______ Stadt ist schön.

c

◆ Das ist ______ Flasche Wein aus Italien.
○ Hmm, ______ Wein ist sehr gut.

• die Bäckerei	• das Obst
• die Flasche	• das Sonderangebot
• das Fleisch	• die Stadt
• der Kuchen	• der Wein
• das Mineralwasser	

A2 6 Sehen Sie das Bild an und ergänzen Sie: *hier – dort*.

◆ Entschuldigung, ist das Joghurt?
○ Nein, das ist Sahne. Der Joghurt ist __hier__.
◆ Und sagen Sie mal, haben Sie auch Brötchen?
○ Nein, nur Brot, tut mir leid. Das Brot finden Sie ______.
◆ Und Obst? Haben Sie Obst?
○ Ja, natürlich. Das Obst ist ______.
◆ Und wo finde ich Butter und Tee?
○ Die Butter ist ______ und der Tee ist ______.

A2 7 Ordnen Sie die Wörter in Gruppen.

Suchen Sie im Wörterbuch und ergänzen Sie: • *der* – • *das* – • *die*.

~~Apfel~~ Banane Brot Brötchen ~~Bruder~~ Ei Familienname Fisch Flasche Fleisch Formular Frau Gemüse Hausnummer Joghurt Kartoffel Käse Kind Kuchen Kurs Land Mann Milch Mutter Nummer Obst Orange ~~Partner~~ Partnerin Postleitzahl Salz Schwester Sohn Sprache Stadt ~~Straße~~ Tee Telefonnummer Tochter Tomate Vater Vorname Wein

Familie: • der Bruder,
Name und Adresse: • die Straße,
Essen und Trinken: • der Apfel,
im Sprachkurs: • der Partner,

B Das Zimmer ist sehr schön. Es kostet ...

B1 **8 Schreiben Sie die Sätze mit *nicht* oder *sehr*.**

a Das Zimmer ist groß. Das Zimmer ist nicht groß.
b Das Zimmer ist klein. ....
c Das Zimmer ist hell. ....
d Das Zimmer ist dunkel. ....
e Das Zimmer ist schön. ....
f Das Zimmer ist hässlich. ....

B1 **9 *nicht* oder *kein/keine*? Ergänzen Sie Pfeile und kreuzen Sie an.**

Grammatik entdecken

a Das ist ○ nicht ⊗ kein Apfel. Das ist eine Tomate.
b Ich habe ○ nicht ○ keine Kinder.
c Das Zimmer ist ○ nicht ○ kein teuer.
d Ich bin ○ nicht ○ kein verheiratet.
e Ich habe ○ nicht ○ kein Arbeitszimmer.

B1 **10 Lesen Sie und schreiben Sie.**

Also, Sie sind Fernando Álvarez und Sie kommen aus Mexiko. Sie sind 35. Ihre Frau heißt Maria. Sie haben ein Haus und wohnen in Nürnberg. Sie sprechen Englisch und Sie lernen Deutsch.

Nein, das ist nicht richtig.
Ich bin nicht Fernando Álvarez und
....
... Ich spreche schon gut Deutsch!

B2 **11 Ergänzen Sie: *er – es – sie*.**

a ◆ Was kostet die Wohnung? ○ Sie kostet 469,– Euro.
b ◆ Die Küche ist schön. ○ Ja, ... ist sehr hell.
c ◆ Wo ist der Balkon? ○ Hier. .... ist klein, aber sehr schön.
d ◆ Und das Bad? Wo ist das Bad? ○ Dort. .... ist groß, aber sehr dunkel.
e ◆ Und hier ist das Wohnzimmer. ○ Schön! .... ist sehr groß.

B

◇ B2 12 Verbinden Sie und markieren Sie.

a Das Zimmer ist sehr teuer.
b Die Wohnung ist nicht teuer.
c Der Balkon ist schön.
d Das Wohnzimmer ist toll.

Es ist sehr hell.
Er ist sehr groß.
Es kostet 649,– Euro.
Sie kostet 325,– Euro.

❖ B2 13 Ergänzen Sie: *der* – *das* – *die* und *er* – *es* – *sie*.

Wie ist das .... (a) Zimmer in Leipzig?

Gut, ... (b) ist billig. Und .... (c) Balkon ist toll. Aber er .... (d) ist sehr klein.

Und .... (e) Stadt?
Wie ist .... (f) Stadt?

.... (g) ist sehr schön. .... (h) Park ist auch super, ... (i) ist sehr groß.

Und wie ist .... (j) Deutschkurs?

.... (k) ist gut.

Ist .... (l) Lehrerin auch gut?

Ja, ... (m) ist super!

B3 14 Markieren Sie und ordnen Sie zu.

KUNEBREITKIELNEUFALEALTUNDGROSSLOFERSCHMALALIEFHELL KAMERDUNKELOFEKLEINABEN

a Das Zimmer ist ....
b Das Zimmer ist ....
c Das Haus ist ....
d Das Haus ist alt ....
e Der Balkon ist groß ....
f Der Balkon ist ....
g Die Straße ist ....
h Die Straße ist ....

B3 15 Wie heißt das Gegenteil? Schreiben Sie Sätze.

a Der Balkon ist groß. Er ist nicht groß, er ist klein.
b Der Flur ist breit. ....
c Das Arbeitszimmer ist hell. ....
d Die Küche ist neu. ....
e Das Haus ist teuer. ....
f Die Küche ist schön. ....

C1 16 Wortakzent

1 33 **a** Hören Sie und markieren Sie die Betonung: ___.

Phonetik

1 wohnen – das Zimmer – das Wohnzimmer – das Schlafzimmer – das Kinderzimmer
2 die Küche – der Schrank – der Küchenschrank – der Kühlschrank
3 die Orange – der Saft – der Orangensaft – der Apfelsaft
4 der Wein – die Flasche – die Weinflasche
5 der Käse – das Brötchen – das Käsebrötchen

1 34 **b** Hören Sie noch einmal und sprechen Sie nach.

C1 17 Was fehlt hier? Ergänzen Sie.

A

• der Fernseher
• das

B

....
....

C

....
....
....

D

....
....

E

....

C2 18 Was ist richtig? Kreuzen Sie an: a, b oder c.

1 35-37 Sie hören jeden Text zweimal.

Prüfung

1 Was möchten der Mann und die Frau?

a  ○ Stühle
b 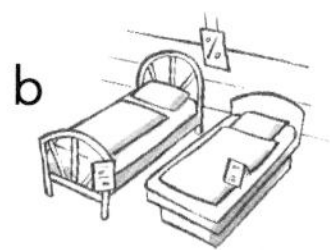 ○ Betten
c  ○ Sessel

2 Woher kommt die Lampe?

a  ○ aus Schweden
b 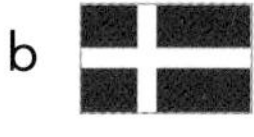 ○ aus Dänemark
c  ○ aus Italien

3 Was kostet die Lampe?

a 59,– € ○ neunundfünfzig Euro
b 95,– € ○ fünfundneunzig Euro
c 9,50 € ○ neun Euro fünfzig

C

C2 19 Suchen Sie im Wörterbuch.

Regal – *der, das* oder *die*? Ergänzen Sie.

______ Regal 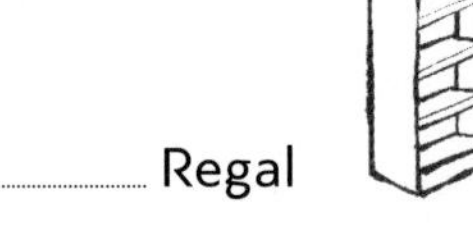 die ______  

So finden Sie es im Wörterbuch:

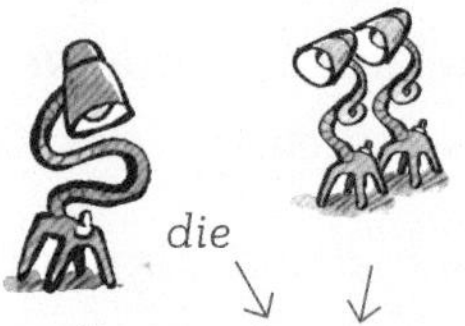

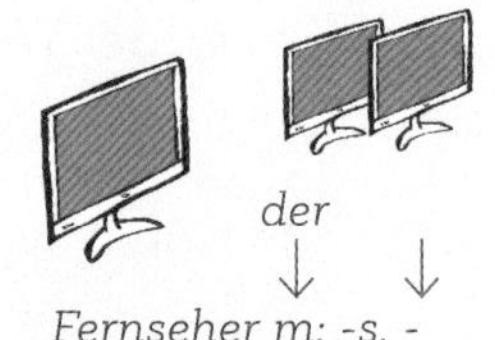

Stuhl der; -(e)s, Stühle	*Bett n; -(e)s, -en*	*Lampe f; -, -n*	*Fernseher m; -s, -*
der Stuhl, die Stühle	das Bett, die Betten	die Lampe, die Lampen	der Fernseher, die Fernseher
	n = neutral = • = das/ein	f = feminin = • = die/eine	m = maskulin = • = der/ein

◇ **C2 20 Suchen Sie im Wörterbuch und ergänzen Sie.**

a	• der	Tisch	• die Tische	e	______	Wohnung ______
b	______	Dusche	______	f	______	Zimmer ______
c	______	Bad	______	g	______	Küche ______
d	______	Haus	______	h	______	Toilette ______

❖ **C2 21 Was ist wirklich im Zimmer? Sehen Sie das Bild an und korrigieren Sie.**

a Im Zimmer sind viele Möbel. Da ist ein Sessel. Der Sessel ist schön.
b Im Zimmer sind auch zwei Sofas und da ist ein Teppich.
c Im Zimmer ist kein Regal.
d Dort ist auch keine Lampe.
e Aber da ist ein Bett und da ist eine Waschmaschine.
f Im Zimmer ist auch ein Tisch und ein Stuhl. Der Stuhl ist alt.
g Da ist kein Schreibtisch.

a Im Zimmer sind viele Möbel. Da sind zwei Sessel. ...

C2 22 Suchen Sie 20 Wörter aus den Lektionen 1–4 (Seite LWS 2–15).

Machen Sie eine Tabelle.

-/¨	-(e)n	-e/¨e	-er/¨er	-s
• das Waschbecken	• die Badewanne	• das Elektrogerät	• das Bad	• das Sofa
• die Waschbecken	• die Badewanne**n**	• die Elektrogerät**e**	• die B**ä**d**er**	• die Sofa**s**

C2 23 Ergänzen Sie: *Sehr gut – Gut – Ganz gut – Es geht – Nicht so gut.*

Wie gefällt Ihnen das Sofa hier?

- (☺☺) .... Es ist sehr modern.
- (😐) Es geht .... Es ist auch sehr groß.
- (😐) .... Aber es ist sehr teuer.
- (☹) .... Es ist sehr hässlich.
- (☺) .... Die Farbe ist schön.

C2 24 Ergänzen Sie: *gefällt – gefallen.*

- Schau mal, die Möbel dort. Wie gefällt dir das Regal?
- Sehr gut. Es ist sehr modern.
- Ja, das finde ich auch. Und schau mal hier! Wie .... dir der Teppich?
- Nicht gut. Er ist hässlich. Aber wie .... dir die Sessel?
- Es geht. Sie sind sehr groß. Und wie .... dir die Lampe?
- Ganz gut. Sie ist auch nicht teuer.

C2 25 Lesen Sie das Gespräch in 24 noch einmal.

Grammatik entdecken

Markieren Sie: *der – das – die* und *er – es – sie*. Ergänzen Sie dann.

Teppich:	● ein/der	→ er		Lampe:	● eine/............	→ ....
Regal:	● ein/............	→		zwei Sessel:	● – /............	→ ....

C2 26 Ergänzen Sie: *der – das – die – ein – eine – er – es – sie.*

- Haben Sie Schränke, Sofas und auch Waschmaschinen?
- Ja, natürlich, wir haben alles. Die Schränke und .... Sofas sind hier, ... Waschmaschinen sind dort. Und wie gefällt Ihnen .... Schrank hier?
- Gut, ... ist schön und groß. Was kostet .... ?
- 45 Euro. Hier ist noch .... Schrank, ... kostet 60 Euro.
- Und .... Sofa dort?
- 30 Euro, ... ist alt, aber sehr schön.
- Aha, und was kosten .... Waschmaschinen?
- .... kosten 60–120 Euro. Hier ist eine Waschmaschine für 70 Euro und .... Waschmaschine dort kostet 120 Euro. .... ist neu.

C3 27 Ergänzen Sie und malen Sie die Farben.

a b l a u

b ... ... b

c hellg ... ... n

d ... ... t

e dunkel ... r ... u ...

f ... ... h ... ...

g ... ... i ...

h ... r ... u

D Wohnungsanzeigen

D2 28 Welche Zahlen hören Sie?

1 ◀)) 38 Markieren Sie die Zahlen und ergänzen Sie die Lösung.

I	S	M	G	E	U	B	K	P	E	F	S	N	W	O
187	943	98	35	76	178	934	53	262	67	89	226	27	373	72

Lösung: S ....

D5 29 Wohnungsanzeigen

a Lesen Sie die Wohnungsanzeigen und markieren Sie die Abkürzungen a–i. Ordnen Sie dann zu.

Wohnungsmarkt

1 **Vermiete Apartment, ca. 30 m²**, möbliert, für maximal 1 Jahr, € 320, Anruf ab 18 Uhr unter 0761/4330915

2 **2-Zi.-Whg.**, ca. 55 qm, Gart., Einbauküche, ab sofort für € 480 warm Tel. 07633/2164

3 **3-Zi.-Whg.**, 5. Stock, 84 m², Balk., nur 700,- € + Nebenkosten + Tiefgarage, Südbau Immobilien 07632/485311

4 **Schöne 3-Zi.-Whg.,** 80 qm, 2 Balkone, Garage, 550,- € + Nebenkosten € 140,-, 2 Monatsmieten Kaution, Handynr. 0172/4885632

5 **Von privat: helle 4-Zi.-Whg., schöner Balk., 800 Euro + Nebenkosten/Kaution 07668/942630**

das Zimmer • der Balkon • die Wohnung • die Handynummer • ~~circa~~ • der Garten • der Quadratmeter • das Telefon • der Euro

a Balk. .....
b ca. *circa*
c Zi. .....
d Tel. .....
e Whg. .....
f € .....
g qm/m² .....
h Gart. .....
i Handynr. .....

b Lesen Sie die Wohnungsanzeigen noch einmal. Was ist richtig? Kreuzen Sie an.

1 ☒ Das möblierte Apartment kostet 320 Euro im Monat.
2 ○ Die 84-Quadratmeter-Wohnung hat vier Zimmer.
3 ○ Die Miete für die 4-Zimmer-Wohnung ist 700 Euro.
4 ○ Die schöne 3-Zimmer-Wohnung hat zwei Balkone.
5 ○ Die 2-Zimmer-Wohnung ist 60 Quadratmeter groß.

1 ◀)) 39 **c** Hören Sie das Gespräch.
Welche Anzeige aus a passt? Ergänzen Sie.
Anzeige: .....

E Am Telefon

E2 30 Ordnen Sie das Telefongespräch.

- ◯ ◆ Es ist genau 2,50 Meter breit.
- ◯ ○ Guten Tag, Herr Stolze. Mein Name ist Klein. Sie verkaufen doch ein Sofa, richtig?
- ◯ ○ Schön. Und wie breit ist das Sofa ungefähr?
- ◯ ◆ Ja, stimmt.
- ◯ ◆ Ja, bin ich.
- (1) ◆ Adrian Stolze.
- ◯ ◆ Es ist dunkelblau.
- (4) ○ Gut, welche Farbe hat es denn?
- ◯ ○ Aha. Gut. Ich möchte das Sofa gern sehen. Sind Sie heute zu Hause?

E3 31 Sie brauchen noch Möbel.

a Welche Möbel brauchen Sie? Sehen Sie die Zeichnungen an und notieren Sie.

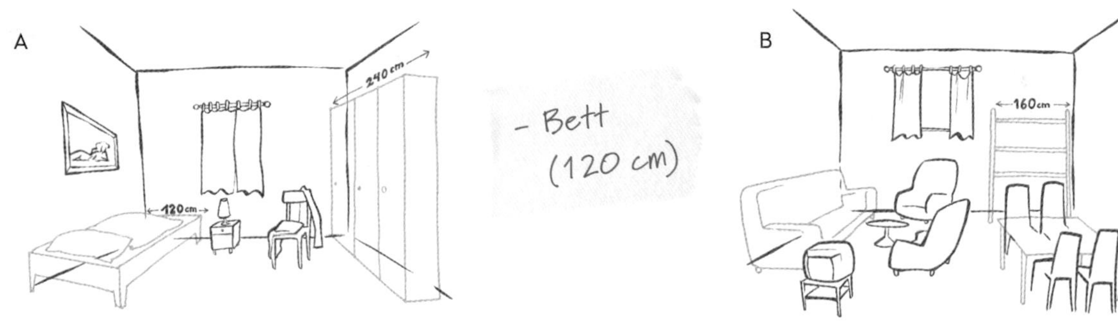

b Welche Anzeigen passen? Ergänzen Sie.

Anzeigen: 2, ... Anzeigen: ....

1 Einbauküche, ungefähr 10 Jahre alt
Anruf unter 0170 - 5229386

2 Schrank, 4-tür.; H 2,38 m B 2,40 m; € 200,–
Bett 90 x 200; € 90,– VHB; 07623 - 3184

3 Sofa, schwarz, sehr bequem; € 60,–
Tel. bis 18.00 Uhr: 07658 - 1735

4 Regal, H 1,70 B 1,60; Preis VHB
Tel. 0172 - 2169800

5 Franz. Bett aus Metall mit Matratze,
140 mal 200 Zentimeter; € 160,– VHB
0173 - 4485609

6 Wohnzimmerschrank H 2 m B 2,80 m; 120 €
Kinderbett 1,40 m lang; 70 €; 2 Sessel 80 €
0761 - 5574915

7 Plasma TV, Samsung; 4 J. alt; € 45
Sofa € 35,–; 0172 - 6177465

8 Verkaufe Bett 1x2 m + Matratze; € 60,–
2 Regale wie neu; H 1,80 B 0,95; € 90,–
07665 - 51614

9 Schreibtisch 120 b / 0,72 h / 0,80 t; Euro 50
Tel. 0170 - 933656

10 Tisch (1,50 x 100), 6 Stühle, Computertisch
alles zusammen € 300 VHB
Tel. ab 18 Uhr: 07663 - 5520

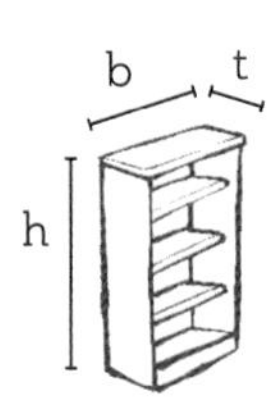

H/h = Höhe/hoch
B/b = Breite/breit
T/t = Tiefe/tief

160 Euro!
Nein, 140.
Na ja ... 120?
Okay.

VHB = Verhandlungsbasis

E3 32 Vielen Dank für deine SMS!

Schreib-training

a Lesen Sie und ergänzen Sie die passenden Anzeigen aus 31 b.

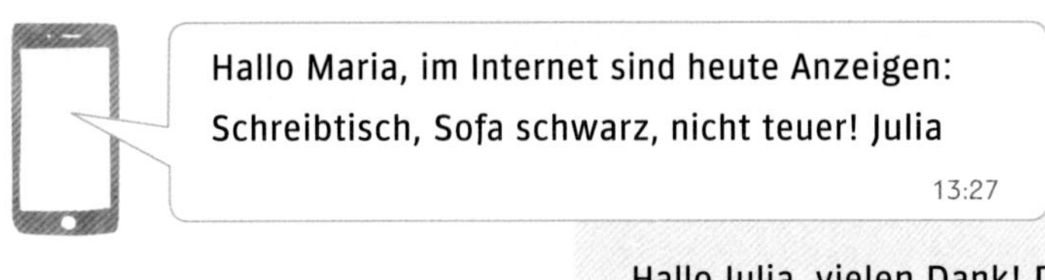

Hallo Julia, vielen Dank! Der Schreibtisch ist prima und das Sofa ist auch ganz neu. Meine Wohnung ist jetzt sehr schön. Maria
09:32

Anzeigen: ....

b Ihre Partnerin / Ihr Partner braucht Möbel. Wählen Sie eine Anzeige aus 31 b und schreiben Sie eine SMS. Senden Sie dann die SMS oder tauschen Sie mit Ihrer Partnerin / Ihrem Partner und antworten Sie.

E3 33 Ergänzen Sie weitere Wörter und die Farben.

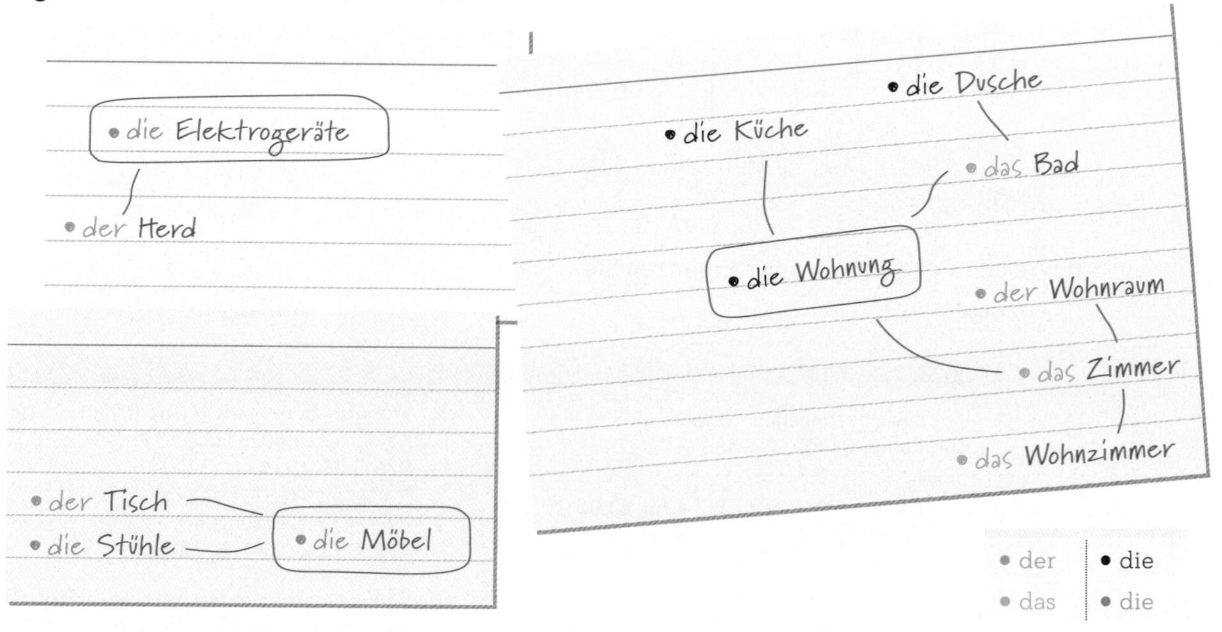

E3 34 *e, i* – lang oder kurz?

1 ◀)) 40 Phonetik

a Hören Sie und markieren Sie: lang (e̲, i̲) oder kurz (ẹ, ị).

das Bẹtt – das E̲hepaar – der Tee – die Adresse – zehn Meter – sechzig Zentimeter – die Miete – der Tisch – das Zimmer – die Musik – die Familie

1 ◀)) 41

b Hören Sie noch einmal und sprechen Sie nach.

E3 35 Hören Sie und sprechen Sie nach.

1 ◀)) 42 Phonetik

Ich lebe jetzt in England.
Möchten Sie etwas Tee?
Lesen Sie bitte den Text.

Die Miete ist billig. – Das ist richtig.
Wo ist das Kinderzimmer? – Hier.
Zwei Liter Milch und ein Kilo Fisch, bitte.

Test Lektion 4

4

1 Wie heißt das Gegenteil? Ergänzen Sie.

1 ...... /5 Punkte

WÖRTER

a teuer billig ...... c schön ...... e hell ......
b neu ...... d breit ...... f klein ......

2 Bilden Sie Wörter und ordnen Sie zu. Ergänzen Sie: *der – das – die*.

2 ...... /5 Punkte

~~Kü~~ pe Kühl mer ~~che~~ Schreib zim sel Wohn Lam schrank tisch Ses

Wohnung	Möbel	Elektrogeräte
die Küche	......	......
......	......	......

...... 0–5 / 6–7 / 8–10

3 Ergänzen Sie die Wörter aus 2 wie im Beispiel.

3 ...... /5 Punkte

GRAMMATIK

a die Küchen ...... c ...... e ......
b ...... d ...... f ......

4 Auf dem Flohmarkt: Ergänzen Sie: *er – es – sie*.

4 ...... /4 Punkte

◆ Der Schrank ist sehr schön. Was kostet er (a)?
○ ...... (b) kostet 500 Euro.
◆ Aha. Und was kostet das Regal dort?
○ Nur 50 Euro. ...... (c) ist auch sehr modern.
◆ Ja, das finde ich auch. Die Lampe ist auch schön. Ist ...... (d) teuer?
○ Nein. Und schauen Sie mal: Wie gefallen Ihnen die Stühle?
◆ Nicht so gut. ...... (e) sind sehr alt.

5 Ergänzen Sie *nicht* oder *kein/keine*.

5 ...... /3 Punkte

a Das ist Alina. Sie kommt nicht aus der Schweiz. Sie kommt aus Österreich.
b Sie ist ...... verheiratet und sie hat ...... Kinder.
c Sie hat ...... Wohnung. Sie wohnt bei Freunden.

...... 0–6 / 7–9 / 10–12

6 Ordnen Sie zu.

6 ...... /3 Punkte

KOMMUNIKATION

Sie verkaufen ein Bett, richtig ~~Und wie groß ist es~~ Welche Farbe hat es
Ich möchte das Bett gern sehen

◆ Winter. Guten Abend.
○ Hallo, hier ist Schneider. ...... ? (a)
◆ Ja, genau.
○ Gut. ...... ? (b)
◆ Es ist weiß.
○ Das ist schön. Und wie groß ist es ? (c)
◆ 1,40 mal 2,00 Meter.
○ Aha, gut. .... (d)
◆ Gern. Ich bin heute zu Hause.

...... 0–1 / 2 / 3

1 Im Büro: Sehen Sie das Bild an und ordnen Sie zu.

~~Hund~~ | Pizza essen | ~~Handy~~ | rauchen | Musik hören | privat telefonieren

A ....
B ....
C ....
D Hund
E Handy
F ....

2 Lesen Sie den Text. Welche Informationen finden Sie? Kreuzen Sie an.

○ Was macht die Firma?
○ Wer arbeitet in dem Büro?
○ Was ist hier erlaubt ✓, was ist verboten ✗?

Goldene Büro-Regeln

Lärm	Essen und Rauchen	Telefonieren	Haustiere
Sprechen Sie leise. Bitte: keine Musik und keine Handys!	Essen und Rauchen am Schreibtisch ist verboten. Aber wir haben eine Küche und einen Balkon.	Das Telefon ist nur für die Arbeit. Bitte telefonieren Sie nicht privat.	Hunde sind im Büro nicht erlaubt.

3 Lesen Sie den Text noch einmal und sehen Sie das Bild in 1 an.

Ist das erlaubt? Kreuzen Sie an.

	A	B	C	D	E	F
ja	☒	○	○	○	○	○
nein	○	○	○	○	○	○

1 Ben hat eine neue Wohnung.

a Lesen Sie die Anzeige und den Mietvertrag. Was kostet die Wohnung? Ergänzen Sie.

Apartment, 36 m², großer Wohnraum, neue Küche, 390,– € + Nebenkosten
Tel. 23 75 95

§3 Miete und Nebenkosten

1. Die Miete beträgt monatlich (Kaltmiete)	……… €
2. Nebenkosten	131,– €
Gesamt monatlich für die Wohnung (Warmmiete)	……… €

b Was zahlt Ben jeden Monat für seine Wohnung? Lesen Sie den Kontoauszug und ergänzen Sie.

Die Eurobank KONTOAUSZUG VOM 01.02. – 22.02. HERR BEN SAIDI

	Information		
Kontostand alt			95,53 +
01.02.	Nordbau: Miete und Nebenkosten	521,00 -	
01.02.	Gehalt		1.453,53 +
01.02.	Öko-Energy: Strom	22,00 -	
01.02.	Lebensversicherung	75,00 -	
16.02.	TeleNet (Telefon & Internet)	35,64 -	
Kontostand neu			895,42 +

……… € Warmmiete
\+ 22,00 € Strom
\+ 35,64 € ………

……… € zahlt Ben jeden Monat für seine Wohnung.

1 43 **2 Hören Sie eine Nachricht für Ben am Telefon. Was ist richtig? Kreuzen Sie an.**

a	Wer ruft an?	☒ Die Firma Gewofag.	○ Die Stadtwerke.
b	Was ist das Problem?	○ Die Wohnung.	○ Die Heizung.
c	Was möchte der Mann?	○ Er möchte in die Wohnung.	○ Er möchte ins Wohnzimmer.
d	Wann kommt der Mann?	○ Heute Morgen.	○ Heute Abend.

A Ich **räume** mein Zimmer **auf**.

A2 **1 Lösen Sie das Rätsel.**

A2 **2 Frau Bonds Tag**

Grammatik entdecken

a Markieren Sie.

1 Frau Bond steht früh auf.
2 Sie frühstückt.
3 Sie arbeitet lange.
4 Sie kauft im Supermarkt ein.
5 Sie kocht das Abendessen.
6 Sie räumt die Wohnung auf.
7 Sie ruft Freunde in Hamburg an.
8 Sie sieht noch ein bisschen fern.

b Ergänzen Sie die Sätze aus a.

Frau Bond	steht	früh	auf.
Sie	frühstückt.		

A2 **3 Lesen Sie. Was denkt Miriam? Schreiben Sie.**

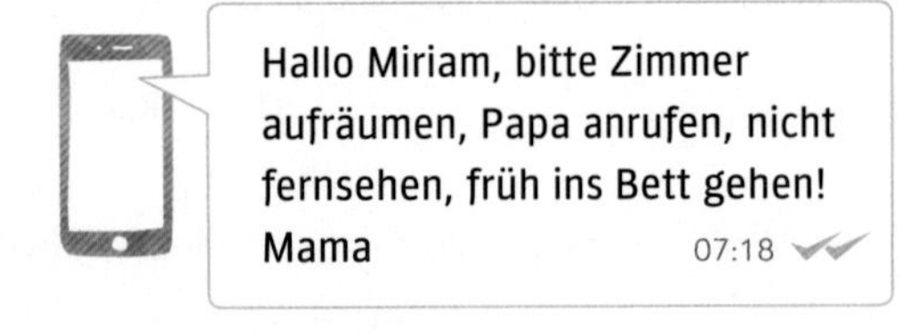

◇ A2 **4 Schreiben Sie Sätze.**

a rufst – bitte – an – du – Susan – ? *Rufst du bitte Susan an?*
b Herr Lehmann – sehr viel – arbeitet – . ……
c ein Ei und Obst – ich – frühstücke – . ……
d du – kochst – das Abendessen – ? ……
e sehen – fern – viel – meine Kinder – . ……
f ihr – früh – auf – steht – ? ……

❖ A2 **5 Schreiben Sie Sätze.**

a
◆ Hallo, Leonie, was machst du heute?
○ *Ich arbeite lange. Ich* ……
……
(lange arbeiten – früh ins Bett gehen)

b
◆ Hi, Flori, ich ……
……
……
…… (jetzt Fleisch und Gemüse einkaufen – zusammen kochen und essen?)
○ Ja, super!

c
◆ Lernen wir zusammen Deutsch?
○ Ach nein. Ich bin müde. ……
……
……
(heute Abend ein bisschen fernsehen)

d
◆ Sina, räumst ……
……
(die Küche aufräumen?)
○ Ja, gut.

A2 **6 Wortakzent und Satzakzent**

1 🔊 44 Phonetik
a Hören Sie die Wörter und markieren Sie die Betonung: ___.
frühstücken – arbeiten – kochen – aufstehen – einkaufen – aufräumen – fernsehen

1 🔊 45
b Hören Sie die Sätze und markieren Sie die Betonung: ___.

Ich stehe auf. Ich arbeite. Ich koche. Ich sehe fern.
Ich frühstücke. Ich kaufe ein. Ich räume auf.

1 🔊 46
c Hören Sie noch einmal und sprechen Sie nach.

A3 **7 *Gern* oder *nicht gern*?**

Schreibtraining
a Was machen die Personen gern? Was machen sie nicht gern? Schreiben Sie.

Omar
☺ früh aufstehen, arbeiten, Deutsch lernen
☹ die Wohnung aufräumen, spazieren gehen

Mailin
☺ lange frühstücken, einkaufen, kochen
☹ Fleisch essen, fernsehen

Omar steht gern früh auf.
Er …

b Und was machen Sie gern? Was machen Sie nicht gern? Schreiben Sie fünf oder sechs Sätze.

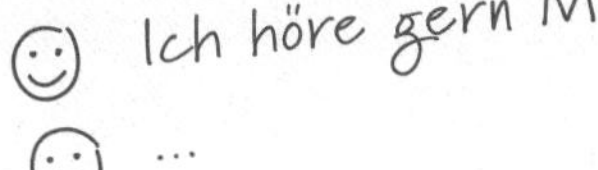

☹ …

B Wie spät ist es jetzt?

B3 **8 Ergänzen Sie: *vor – nach*.**

Wie spät ist es?

Ein Uhr. / Eins.
Zwei Uhr. / Zwei.

Fünf vor zwei. — Fünf nach eins.
Zehn .... zwei. — Zehn .... eins.
Viertel .... zwei. — **Viertel** .... eins.
Zwanzig .... zwei. — Zwanzig .... eins.
Zehn .... halb zwei. — Zehn vor halb zwei.
Fünf .... halb zwei. — Fünf .... halb zwei.

Halb zwei.

◇ B3 **9 Ordnen Sie zu.**

a halb vier b Viertel vor zehn c zwanzig nach zehn d fünf nach halb acht e Viertel nach zwei f kurz vor zwölf g zehn vor halb fünf ~~h halb acht~~ i zehn nach fünf j fünf nach drei k zehn vor neun l fünf vor halb vier m fünf vor acht n kurz nach eins o zwanzig vor drei

h	07:30	○	15:30	○	11:58	○	14:15	○	09:45
○	10:20	○	02:40	○	16:20	○	17:10	○	08:50
○	19:35	○	07:55	○	03:05	○	15:25	○	01:02

❖ B3 **10 Ergänzen Sie die Uhrzeit.**

a halb drei 02.30 14.30
b Viertel vor zehn ....
c Viertel nach sechs ....
d zwanzig nach sieben ....
e zehn nach neun ....
f zwanzig vor acht ....
g Viertel nach elf ....
h fünf nach zwölf ....
i fünf vor halb fünf ....
j zehn vor halb eins ....
k fünf vor halb vier ....
l zehn nach halb zehn ....

B3 **11 Ergänzen Sie: *schon – erst*.**

a

◆ Oje! Schon zwanzig nach sieben. Ich komme zu spät!

b
◆ Ich brauche eine Pause. Wie spät ist es?
○ .... fünf vor halb eins.
◆ Oje! Noch so lange!
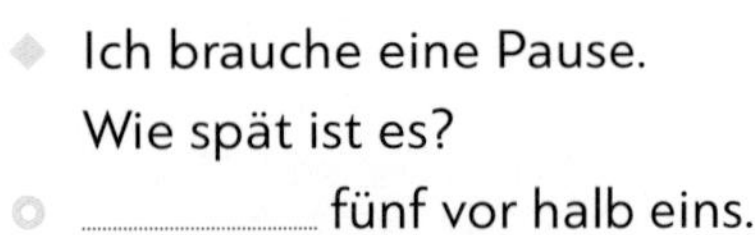

c

◆ Kristin, wo bist du? Es ist .... zehn vor vier.
○ Ja, ja, ich komme.

d
◆ Oh. Ist es .... zwölf Uhr?
○ Nein, es ist .... kurz vor zwölf.

C Wann fängt der Deutschkurs an?

C2 12 Wie heißen die Tage? Ergänzen Sie.

Mo	Di	Mi	Do	Fr	Sa	So
Montag	...	...	...	...	...	...
					Wochenende	

Samstag: in Norddeutschland auch Sonnabend

C2 13 Ordnen Sie zu.

Am ~~am~~ am bis Um Um um von

a
- ◆ Frühstücken wir am Sonntag im „Babalu"?
- ○ Ja, gern, aber ich stehe früh auf.
- ◆ Wann?
- ○ ... acht Uhr.
- ◆ Was? ... Sonntag möchte ich nicht ... acht frühstücken.

b
- ▲ Was machst du ... Donnerstag?
- □ Ich habe ... neun ... zwölf Uhr Kurs.
- ▲ Spielen wir Fußball?
- □ Ja, gern. Wann?
- ▲ ... zwei.

C2 14 Ergänzen Sie.

E-Mail senden

a

Hallo John, hast Du am Samstag Zeit? ... 3 Uhr komm... Uli und Petra. Komm... Du auch? Und ... Sonntag spiel... wir Fußball, ... 10 Uhr.
Eva ☺

E-Mail senden

b

Hallo Eva, tut mir leid, ... Wochenende hab... ich keine Zeit. ... Samstag mach... ich einen Intensivkurs ... 9 ... 12 und ... 14 ... 18 Uhr. Und ... Sonntag komm... meine Mutter.
John ☹

C3 15 Ordnen Sie zu.

~~Wann~~ Wann Wann Wann Wie spät ~~Um wie viel Uhr~~ Um wie viel Uhr

a ◆ Wann / Um wie viel Uhr kommst du? — ○ Um acht.
b ◆ ... hast du Deutschkurs? — ○ Von Montag bis Freitag.
c ◆ ... ist es, bitte? — ○ Kurz nach drei.
d ◆ ... gehen wir spazieren? — ○ Am Sonntag.
e ◆ ... / ... gehst du ins Bett? — ○ Um halb zwölf.

C3 16 Ergänzen Sie in der richtigen Form.

a ◆ He, Lisa, schläfst (schlafen) du schon? ○ Nein.
b ◆ Wann ________ die Party ________ (anfangen)? ○ Um acht.
c ◆ ________ (arbeiten) du gern? ○ Ja, sehr gern.
d ◆ Ihr ________ (arbeiten) von sechs bis zwölf Uhr, oder? ○ Nein, von sieben bis eins.
e ◆ ________ die Kurse am Montag ________ (anfangen)? ○ Nein, erst am Dienstag.
f ◆ ________ wir zusammen ________ (fernsehen)? ○ Ja, gut.

C4 17 Eine Woche mit Familie Reinhardt

a Was macht Familie Reinhardt von Montag bis Freitag? Ergänzen Sie.

1 Frau Reinhardt ist Lehrerin.
Sie ________ viel am Computer.
2 Herr Reinhardt ________.
3 Oma ________ die Küche ________.
4 Opa ________ ________
und ________ Schokolade.
5 Leo ________ mit
Mäxchen ________.
6 Sina macht Hausaufgaben.
7 Das Baby ________.

b Es ist Wochenende.
Schreiben Sie die Sätze aus a mit *nicht* oder *kein/keine*.

Heute ist Samstag.
Frau Reinhardt arbeitet heute nicht am Computer.
Herr Reinhardt ...

D Tageszeiten

D1 **18 Ergänzen Sie die Tageszeiten.**

A

am Abend

B

C

D

E

F

D2 **19 Tagesablauf**

a Wie heißen die Wörter? Ergänzen Sie.

1 stüfrühckten frühstücken
2 sprto mchaen
3 ikmus rehön
4 sseen
5 aeeffk rintken
6 pasrenzie henge
7 attench

b Was passt? Ergänzen Sie die Wörter aus a in der richtigen Form.

1 Alex steht um sechs Uhr auf.
Er frühstückt nicht, aber er ....
....

2 Er arbeitet von sieben bis halb zwölf. Von halb zwölf bis halb eins macht er Pause.
Er .... im Park
.... und .... eine Pizza.

3 Am Abend .... Alex gern
..................: Fußball spielen, joggen ...

4 Oder er .... mit
Sergio und Efia und ....
..................: Jazz, Pop, Rap.
Alex geht erst um ein Uhr in der Nacht ins Bett.

D3 20 Fatimas Tag

Grammatik entdecken

a Lesen Sie und markieren Sie.

Fatima steht am Morgen früh auf. Um acht Uhr hat sie Deutschkurs. Sie lernt von neun bis zwölf Uhr Deutsch. Sie macht am Mittag eine Pause. Am Nachmittag macht sie Hausaufgaben. Dann ruft sie ihre Eltern an. Fatima geht am Abend um elf Uhr ins Bett.

b Ergänzen Sie die Sätze aus a.

Fatima	steht	am Morgen früh	auf.
Um acht Uhr	hat		

◇ D3 21 Schreiben Sie die Sätze neu.

a Julia steht am Wochenende früh auf.
Am Wochenende steht Julia früh auf.

b Sie frühstückt am Morgen mit Peter.
Am Morgen ……………

c Sie räumt am Vormittag die Wohnung auf.
Am Vormittag ……………

d Sie kauft dann ein.
Dann ……………

e Julia kocht um halb eins das Mittagessen.
Um halb eins ……………

f Sie arbeitet am Samstag im Supermarkt.
Am Samstag ……………

g Sie geht am Sonntag ins Kino.
Am Sonntag ……………

❖ D3 22 Schreiben Sie Sätze.

a Pedro – aufstehen – um sieben Uhr
Pedro steht um sieben Uhr auf.

b frühstücken – dann – er

c von acht bis zwölf Uhr – er – im Kurs – sein

d er – am Nachmittag – Fußball – spielen

e zu Hause – fernsehen – noch ein bisschen – er

f am Abend – er – um zehn Uhr – ins Bett gehen

g am Wochenende – ins Kino gehen – er

E Familienalltag

E1 23 Was ist richtig? Kreuzen Sie an.

a 
- ☒ neun Uhr dreißig
- ☒ halb zehn
- ○ dreißig nach neun

b 
- ○ achtzehn Uhr drei
- ○ kurz nach achtzehn
- ○ kurz nach sechs

c 
- ○ fünfunddreißig nach drei
- ○ fünfzehn Uhr fünfunddreißig
- ○ fünf nach halb vier

d 
- ○ eins Uhr
- ○ ein Uhr
- ○ dreizehn Uhr

e 
- ○ zwanzig Uhr fünfzig
- ○ fünfzig nach zwanzig
- ○ zehn vor neun

f 
- ○ fünfzehn vor elf
- ○ Viertel nach elf
- ○ elf Uhr fünfzehn

E1 24 Ergänzen Sie.

	Uhrzeit	privat	offiziell
a	08:10	zehn nach acht	acht Uhr zehn
b	20:15		
c	04:30		
d	16:20		
e	11:25		
f	21:57		

E1 25 Lesen Sie das Fernsehprogramm und korrigieren Sie.

TV-Welt suchen **Kategorie** -----

Programm am Abend heute morgen Mo Di Mi Do Fr

Das Erste	ZDF	RTL
19:50 Wetter	19:25 Herzensbrecher - Vater von vier Söhnen Familienserie	19:05 Explosiv Boulevardmagazin
19:57 Lotto am Samstag	20:15 Fußball: EM-Qualifikation (I)	20:15 Hanni & Nanni 3 Kinder- und Jugendfilm
20:00 Tagesschau Nachrichten	21:45 heute-journal Nachrichten	22:15 Bülent und seine Freunde Show
20:15 Mordkommission Istanbul TV-Krimi	22:00 Fußball: EM-Qualifikation (II)	23:30 Skyfall Actionfilm mit Daniel Craig

a Der Actionfilm fängt um halb elf an. ....

b Kurz nach acht kommt „Lotto am Samstag". ....

c Fußball kommt um Viertel nach ~~neun~~ und um zehn Uhr. acht

d Um Viertel vor acht kommt ein Kinderfilm. ....

E1 26 Was ist richtig? Hören Sie und kreuzen Sie an.

1 47-49
Prüfung

Sie hören jeden Text zweimal.

1 Wann spielt Felix Fußball?
- ○ Am Samstag um 14 Uhr.
- ○ Am Samstag um 14.30 Uhr.
- ○ Am Abend.

2 Wann kommt der Film „Wir sind die Neuen“?
- ○ Um 15.30 Uhr und um 18 Uhr.
- ○ Um 18.30 Uhr und um 20.30 Uhr.
- ○ Um 18.15 Uhr und um 20 Uhr.

3 Wie sind die Öffnungszeiten?
- ○ Montag bis Freitag, 8 bis 17.30 Uhr.
- ○ Montag bis Freitag, 8 bis 13 Uhr.
- ○ Montag bis Samstag, 8 bis 13 Uhr.

E2 27 Sprechen und schreiben: lang oder kurz?

1 50
Phonetik

a Hören Sie und markieren Sie: lang (a̲, e̲, ...) oder kurz (ạ, ẹ, ...).

- a ạm A̲bend – zwạnzig Ja̲hre – Mann – wann
- e essen – zehn – Tee – jeden Tag – gern – Bett
- i am Dienstag – Kino – du siehst fern – am Mittwoch – trinken
- o am Donnerstag – geschlossen – am Montag – am Morgen – Wohnung
- u um vier Uhr – Fußball – Stuttgart – kurz vor zwei – Flur
- ä ich hätte – spät – Geschäft – Äpfel – wählen
- ö hören – geöffnet – Söhne – zwölf
- ü frühstücken – müde – fünf – Mütter

b Ordnen Sie die Wörter aus a zu.

sprechen	schreiben	Beispiele
a̲	a, ah	Abend, Jahr,
ạ	a, a+nn	am,
e̲	e, eh, ee	
ẹ	e, e+ss, e+tt	
i̲	i, ie, ieh	
ị	i, i+tt	
o̲	o, oh	
ọ	o, o+nn, o+ss	
u̲	u, uh, uß	
ụ	u, u+tt	
ä̲	ä, äh	
ạ̈	ä, ä+tt	
ö̲	ö, öh	
ọ̈	ö, ö+ff	
ü̲	ü, üh	
ụ̈	ü, ü+tt	

Test Lektion 5

5

1 Ordnen Sie zu.

1 .... /3 Punkte

WÖRTER

der Abend ~~der Morgen~~ der Mittag die Nacht

a 5–9 Uhr der Morgen
b 12–13 Uhr ....
c 17–22 Uhr ....
d 22–5 Uhr ....

2 Ergänzen Sie.

2 .... /9 Punkte

Uhrzeit a 13.20 b 11.45 c 19.30 d 10.57 e 20.25

privat zwanzig nach eins

offiziell

.... 0–6 / 7–9 / 10–12

3 Ergänzen Sie.

3 .... /5 Punkte

GRAMMATIK

a Paul steht um halb acht auf (aufstehen).
b Er .... (frühstücken) und .... die Küche .... (aufräumen).
c Er geht zur Arbeit und .... (arbeiten) bis 11.30 Uhr.
d Am Mittag .... (essen) er zu Hause und dann .... (schlafen) er ein bisschen.

4 Ergänzen Sie: *am – um – von – bis.*

4 .... /5 Punkte

a ◆ Wann hast du Zeit? ○ Um zwölf.
b ◆ Wann machst du Pause? ○ .... zwölf .... eins.
c ◆ Arbeitest du heute lange? ○ Nein, nur .... 13 .... 15 Uhr.
d ◆ Wann chatten wir? ○ .... Freitag, okay?

.... 0–5 / 6–7 / 8–10

5 Ordnen Sie zu.

5 .... /5 Punkte

KOMMUNIKATION

da habe ich Zeit Ich gehe gern ins Kino Hast du am Freitag Zeit ~~Am Freitag arbeite ich~~ Um wie viel Uhr Ich koche nicht gern

◆ Hallo, Merve. .... ? (a)
○ Nein, tut mir leid. Am Freitag arbeite ich. (b)
◆ Aber am Abend arbeitest du nicht, oder?
○ Nein, ... (c)
◆ Gut, dann kochen und essen wir zusammen!
○ Ach nein. .... (d)
◆ Oh! Was machst du gern?
○ .... (e)
◆ Ich auch! Dann gehen wir ins Kino.
○ Gut. .... ? (f)
◆ Um acht.
○ Okay.

.... 0–2 / 3 / 4–5

1 Lesen Sie und markieren Sie: Uhrzeit und Essen

Willkommen im Kindergarten Kunterbunt!

Ihr Kind ist drei bis sieben Jahre alt und Sie brauchen einen Betreuungsplatz im Kindergarten? Sie haben viele Möglichkeiten – bitte wählen Sie:

Gruppe 1
Bringen Sie Ihr Kind bis 8.30 Uhr in den Kindergarten. Die Kinder sind am Morgen und am Vormittag hier im Kindergarten und wir essen um 13 Uhr zusammen Mittagessen.
Um 14 Uhr holen Sie Ihr Kind wieder ab.

Gruppe 2
Sie brauchen einen Betreuungsplatz für den ganzen Tag? Dann ist die Tagesgruppe richtig für Sie. Sie bringen Ihr Kind am Morgen ab 8.00 Uhr und Sie holen es ab 16 Uhr wieder ab. Die Kinder frühstücken zusammen im Kindergarten und essen auch am Mittag hier.

Gruppe 3
Die Kinder kommen erst am Nachmittag um 14 Uhr in den Kindergarten. Es gibt kein Mittagessen. Aber am Nachmittag essen die Kinder Obst. Um 18 Uhr schließt der Kindergarten.

Gruppe 4
Sie bringen Ihr Kind um 13 Uhr. Die Kinder essen zusammen Mittag. Der Kindergarten schließt um 18 Uhr.

Haben Sie noch Fragen? Dann kommen Sie zu uns oder rufen Sie uns an!
Kindergarten Kunterbunt • Schopenhauerstr. 4 • 25471 Neustadt • Tel.: 09445/220-2230
Der Kindergarten Kunterbunt öffnet Montag bis Freitag von 8.00 bis 18.00 Uhr.

2 Was passt? Lesen Sie und ergänzen Sie die Gruppen aus 1.

A *Wir haben einen Sohn, Simon. Er ist jetzt drei Jahre alt und geht in den Kindergarten. Meine Frau und ich arbeiten von 9.00 bis 17.00 Uhr.*

George, 42

Gruppe ______

B *Ich mache jetzt einen Deutschkurs und ich habe jeden Nachmittag Unterricht. Meine Töchter Leyla und Emine und ich essen zusammen Mittag. Ich brauche einen Betreuungsplatz am Nachmittag.*

Mariana, 35

Gruppe ______

C *Meine Tochter Clara ist fünf Jahre alt. Ich arbeite am Vormittag. Um 8.30 Uhr fängt die Arbeit an. Am Nachmittag habe ich wieder Zeit. Dann kaufe ich mit Clara ein oder wir spielen zusammen.*

Eda, 28

Gruppe 1

1 Lesen Sie und markieren Sie.

Zu A : Wann ist der Deutsch-Test? Wo ist der Deutsch-Test? Was kostet der Deutsch-Test?
Zu B : Was macht das Beratungsbüro? Wann ist die Sprachberatung?

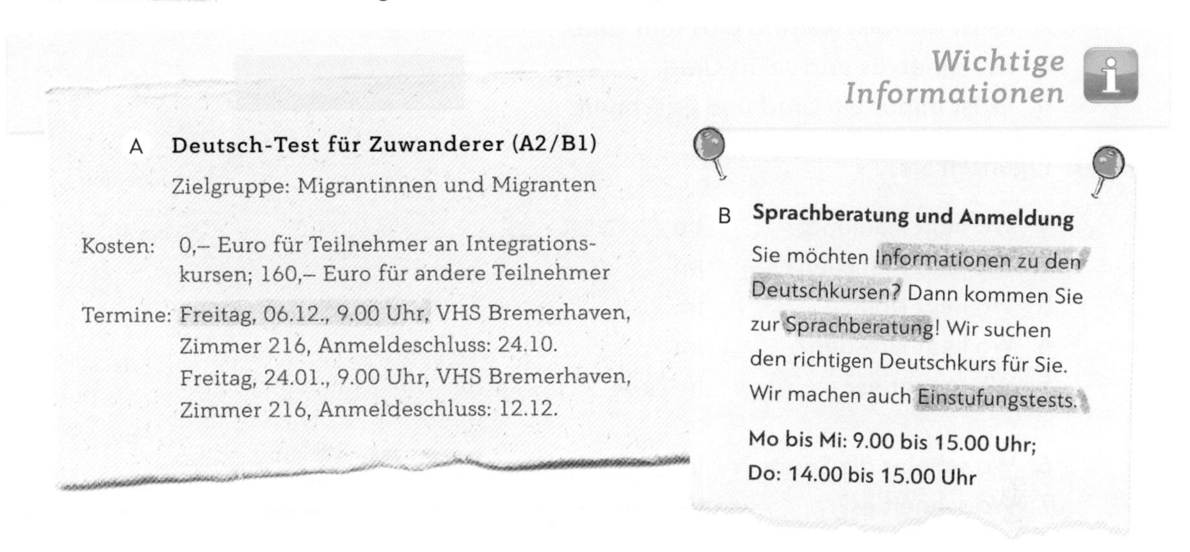

2 Lesen Sie die Texte in 1 noch einmal. Was ist richtig? Kreuzen Sie an.

A
- ○ Der Deutsch-Test kostet 200,– Euro.
- ☒ Der Test ist am 06.12. und am 24.01. in Bremerhaven.
- ○ Der Test ist um 9.00 Uhr.

B
- ○ Die Sprachberatung gibt Deutschunterricht.
- ○ Die Sprachberatung gibt Informationen zu Deutschkursen.
- ○ Die Sprachberatung ist Montag, Mittwoch und Donnerstag von 9.00 bis 15.00 Uhr.

1 ◄)) 51-53

3 Hören Sie die Gespräche und verbinden Sie.

a Frau Gülen kommt am Freitagmorgen nicht. Sie geht
b Herr Bardosana geht heute schon um 14 Uhr. Er geht
c Herr Thind kommt am Freitag erst um 12 Uhr. Er macht

zur Volkshochschule zur Sprachberatung.
einen Einstufungstest.
zur Volkshochschule und macht den Deutsch-Test für Zuwanderer.

4 Wählen Sie eine Situation und sprechen Sie mit Ihrer Partnerin / Ihrem Partner.

Frau/Herr ...?
Ich komme am Montag/... nicht.
Ich gehe heute/... um ... Uhr zur/zum ...
Ich gehe heute/morgen schon um ...
Der Termin ist um ...
Ist das in Ordnung?

Ja, Frau/Herr ...?
Kein Problem.
Ja, ist gut.
Alles klar!
Das ist in Ordnung.

am Freitag, 9.00 Uhr, zur Volkshochschule: Deutsch-Test für Zuwanderer

morgen, 14.30 Uhr, zum Konsulat

am Montag, zur Sprachberatung, Termin um 14.00 Uhr

heute, 11.00 Uhr, zum Arzt

A Das **Wetter** ist nicht so schön.

A2 **1 Wie ist das Wetter in Hamburg, München, Köln, Dresden?**

a Sehen Sie die Karte an und ergänzen Sie.

1 Die Sonne scheint, es ist kalt. Es sind fünf Grad unter Null. Hamburg
2 Es ist bewölkt. Es sind plus fünf Grad. ....
3 Es regnet. Es sind sechs Grad. ....
4 Es ist minus ein Grad und es schneit. ....

b Ergänzen Sie.

1 Wo liegt Hamburg? Im Norden.
2 Wo liegt München? Im ....
3 Wo liegt Köln? Im ....
4 Wo liegt Dresden? Im ....
5 Wo regnet es? In Köln und in ....
6 Wo scheint die Sonne? In ....
7 Wo schneit es? In ....
8 Wo ist es bewölkt? In ....

◇ A2 **2 Ergänzen Sie.**

a
▲ Heute ist das Wetter (tetWer) super! Die .... (ennSo) .... (eischtn) und es ist sehr .... (ramw).
□ Stimmt. Aber es ist auch sehr .... (digwin).

b
✚ Brrr! Es ist so .... (talk)!
● Ja, ... (inmus) zwei Grad. Oh! Jetzt .... (neitsch) es.

c
◆ Wie ist das .... (ettWre)?
○ Nicht so .... (önsch). Es sind nur zehn .... (Gard) und es ist .... (bwölekt).

◆ A2 **3 Nein! Ergänzen Sie.**

◆ Das Wetter ist schön.
○ Nein, es ist nicht schön. Es ist kalt.
◆ Nein, es ist ...., es ist warm.
○ Aber es regnet! Und es ist windig!
◆ Nein, es .... Und es ....!

A3 **4 Ordnen Sie zu.**

Montag ~~Osten~~ Deutschland drei Uhr München Sommer Vormittag der Nacht Frühling Abend kurz vor sieben der Türkei

im Osten
am ....
um ....
in ....

A3 5 Grüße aus dem Urlaub: Schreiben Sie.

Schreib-training

wir – zwei Wochen – Griechenland   Wetter – ☺   Sonne – scheinen – 35°   alles – sehr schön

Hallo Ivana,
wir sind ....
.... Das Wetter ....
.... Die Sonne .... ,
....
Alles ....

Liebe Grüße
Dorothea

A3 6 Hören Sie die Wetterberichte. Was ist richtig? Kreuzen Sie an.

1 54-56

a Am Nachmittag ist das Wetter ☒ gut. ○ schlecht.
b Im ○ Süden ○ Norden bleibt es heute bewölkt.
c Am Wochenende ○ schneit es. ○ ist es nicht kalt.

A4 7 Ergänzen Sie.

a • die Sonne
b • der ....
c • der ....
d • der ....
e • die ....

A4 8 Frühling, Sommer, Herbst und Winter

a Ordnen Sie zu.

Schnee heiß Herbst Sonne Winter Wind ~~warm~~ Norden

1 Ich lebe im .... von Deutschland: in Bremerhaven. Dort sind die Tage im .... noch warm, aber es ist sehr windig. Ich mag ....
2 Der .... in Deutschland ist super. Ich komme aus dem Sudan. Dort ist es immer sehr .... Aber jetzt lebe ich in Garmisch. Ich finde .... toll! Und im Winter scheint auch oft die ....

b Ich mag ...: Sprechen Sie mit Ihrer Partnerin / Ihrem Partner.

Ich finde warme Tage und Sonne gut. Der Sommer ist toll! Aber in Deutschland ist es kalt – auch im Sommer.

Der Sommer hier ist schön und nicht so heiß. Ich mag Schnee und Winter.

B Hast du **den** Käse?

B2 9 Satzakzent

1 57 **a** Hören Sie und markieren Sie die Betonung: ____.

Phonetik

- ◆ Nina, hast du den Zucker?
- ○ Nein, den Zucker habe ich nicht, aber das Salz.
- ◆ Hast du die Eier?
- ○ Nein, die Eier habe ich nicht, aber das Mehl.

1 58 **b** Hören Sie noch einmal und sprechen Sie nach.

1 59 **c** Fragen Sie weiter und antworten Sie wie in a. Hören Sie dann.

- ◆ Hast du das Brot?
- ○ Nein, das Brot habe ich nicht, aber die Brötchen.

Varianten:

- das Brot? – ~~das Brot~~ / die Brötchen
- den Saft? – ~~den Saft~~ / den Wein
- das Obst? – ~~das Obst~~ / den Kuchen
- den Tee? – ~~den Tee~~ / den Kaffee
- die Milch? – ~~die Milch~~ / den Zucker
- die Wurst? – ~~die Wurst~~ / den Käse

B2 10 Markieren Sie: Wer?/Was? und Wen?/Was?

Grammatik entdecken

a
- ◆ Wo ist der Kaffee? Hast du den Kaffee?
- ○ Nein, den Kaffee hat Mira.

b
- ◆ Kennst du den Bruder von Kim?
- ○ Nein, ich kenne nur die Schwester.

c
- ◆ Und? Wie ist der Kuchen?
- ○ Der Schokoladenkuchen ist sehr gut.

d
- ◆ Guten Abend. Ich möchte gern den Computertisch.
- ○ Tut mir leid, der Computertisch ist nicht mehr da.

B3 11 Geburtstagsparty: Wer macht was? Schreiben Sie.

meine Mutter – Kuchen | Robert – Kaffee, Milch, Obst | ich – Wein, Apfelsaft | Mineralwasser – schon da | meine Mutter – Kartoffelsalat | du – Brot, Wurst, Käse

Meine Mutter macht den Kuchen. Robert kauft …

B3 12 Ergänzen Sie: *ein – eine – einen.*

- ◆ Was hast du für das Picknick?
- ○ ________ Käsebrot, ________ Kuchen, zwei Birnen und *eine* Schokomilch.
- ◆ Ich habe zwei Wurstbrote. Hier hast du ________ Wurstbrot. Ich möchte gern ________ Birne.

B3 13 Ergänzen Sie: *eine – einen – die – den – keine* oder /.

a

◆ Also, was brauchen wir?
○ Wir brauchen / Brötchen, ______ Flasche Wasser und ______ Flasche Saft und ______ Obst, oder?
◆ Ja, ich möchte ______ Apfel. Haben wir noch ______ Äpfel?
○ Wir haben nur noch ______ Apfel – und zwei ______ Bananen.

b

○ Ah! So ein Ausflug ist toll. Ich möchte jetzt ______ Tomate. Wo sind denn ______ Tomaten?
◆ Tut mir leid, aber wir haben ______ Tomaten.
○ Dann esse ich den Apfel hier. Möchtest du dann ______ Banane?

◇ B3 14 Was ist richtig? Kreuzen Sie an.

a

◆ Was möchten Sie zum Frühstück?
○ Ich hätte gern ☒ ein ○ / Ei, ○ einen ○ ein Orangensaft, ○ ein ○ eine Brötchen und ○ einen ○ eine Joghurt.
◆ Möchten Sie auch ○ ein ○ einen Kaffee?
○ Nein, danke. Ich möchte ○ kein ○ keinen Kaffee.

b

○ Entschuldigung! ○ Ein ○ Das Brötchen ist alt. Und ○ ein ○ der Joghurt ist nicht gut.
◆ Oh, tut mir leid. Ich bringe noch ○ ein ○ das Brötchen. Aber wir haben ○ kein ○ keinen Joghurt.
○ So? Haben Sie ○ ein ○ / Salz für das Ei?
Natürlich. Ich bringe ○ / ○ das Salz sofort.

❖ B3 15 Ergänzen Sie.

E-Mail senden

Liebe Sabrina,
endlich habe ich eine Wohnung! Sie hat ______ Wohnzimmer, ______ Schlafzimmer, ______ Küche und ______ Bad. ______ Küche ist sehr klein.
Ein paar Möbel habe ich auch schon: ______ Tisch, zwei Stühle, ______ Sofa, ______ Schrank und ______ Bett. ______ Sofa ist sehr alt – es ist von Oma – ______ Schrank und ______ Bett habe ich von Elli und Paul.
Aber ich habe noch ______ Lampe und ______ Fernseher :-(. Zuerst brauche ich aber noch vier Stühle. Ich mache nämlich am Freitag eine Party. Kommst Du auch?

Bis dann
Elena

B

B3 16 *Mein* oder *dein*?

Grammatik entdecken

a Ordnen Sie zu.

mein | meine | meine | ~~meinen~~ | dein | Deine | deinen

1

- Du, Paula, ich verkaufe meinen Schrank und ________ Waschmaschine. Was brauchst du?
- ________ Waschmaschine brauche ich nicht. Aber ich kaufe ________ Schrank. Er ist super! Was kostet er?
- 150 Euro.
- Was? Das ist zu teuer.

2

- Räumst du bitte ________ Zimmer auf?
- Keine Zeit. Ich mache gerade ________ Hausaufgaben. ... Mama, ich suche ________ Deutschbuch.
- Es liegt hier.

b Markieren Sie in a: Wen?/Was? und ergänzen Sie die Tabelle.

einen	meinen		Schrank
ein			Deutschbuch/Zimmer
eine			Waschmaschine
–		deine	Hausaufgaben

B4 17 Bilden Sie Wörter.

Grammatik entdecken

die Kartoffel / das Obst — der Salat / die Tomate (+n)

die Banane (+n) / der Apfel — der Saft / die Orange (+n)

der Schinken / der Käse — das Brot / die Butter

der Kartoffelsalat,
der Tomatensalat

die Kartoffel + der Salat = der Kartoffelsalat

B4 18 Lesen Sie die Texte. Sind die Sätze 1–5 richtig oder falsch?

Prüfung

Kreuzen Sie an.

Elena: Hallo Leute, ich mache eine Party. Ich habe eine neue Wohnung! Wir feiern am Freitagabend.
Beginn: 19 Uhr
Meine Adresse:
Hauptstraße 5, Pfaffendorf
Wer macht einen Kuchen oder einen Salat? Und wer hat einen Stuhl?

Sina: Hallo Elena, danke für die Einladung. Ich komme gern. Aber ich habe am Freitag bis 21.30 Uhr einen Kurs. Dann komme ich. Für einen Kuchen oder einen Salat habe ich keine Zeit, tut mir leid. Aber ich habe zwei Gartenstühle.

1 Elena hat Geburtstag. ○ richtig ○ falsch
2 Die Party ist am Freitag. ○ richtig ○ falsch
3 Sina kommt zur Party. ○ richtig ○ falsch
4 Sie macht einen Kuchen. ○ richtig ○ falsch
5 Sie hat keinen Stuhl. ○ richtig ○ falsch

C Hast du **keinen** Hunger mehr? – **Doch**.

6

C2 19 Ergänzen Sie: *Ja – Nein – Doch*.

◆ Sag mal, ist der Kuchen nicht gut?
○ Doch ...., er ist sehr gut.
◆ Ist der Kaffee schon kalt?
○ ...., er ist noch sehr warm.
Hast du Zucker und Milch?
◆ ...., hier bitte.
○ Kommt Marion nicht?
◆ ...., sie hat keine Zeit.

◇ C2 20 Verbinden Sie.

a Möchtest du Saft? — 2
b Hast du keinen Durst?
c Nimmst du den Fisch?
d Oh ja, Pizza! Die Pizza ist hier besonders gut!
e Möchtest du einen Kaffee?
f Nimmst du keinen Zucker?

1 Ja, stimmt.
2 Nein, danke. Ich habe keinen Durst.
3 Ja, gern. Mit Milch und Zucker, bitte.
4 Doch, ich nehme Zucker, aber keine Milch.
5 Nein, ich glaube, ich esse die Pizza.
6 Doch. Ich habe Durst und ich habe Hunger.

❖ C2 21 Gespräch über Uli Groß

Schreiben Sie die Fragen mit *nicht*.

a ◆ Ist das nicht Uli Groß ....? ○ Doch. Das ist Uli Groß.
b ◆ Aber ....? ○ Nein. Er wohnt nicht in Köln. Er wohnt jetzt hier.
c ◆ Ja, aber er hat doch eine Frau aus Köln. Oder ....? ○ Nein, er ist nicht verheiratet. Er ist jetzt geschieden.
d ◆ ....? ○ Doch, er arbeitet hier. Er ist Grafik-Designer.
e ◆ Ach?! ....? ○ Nein, er ist nicht Fußballspieler.
f ◆ Aber ....? ○ Doch, er ist der Bruder von Fußballspieler Thomas Müller.

C2 22 Ergänzen Sie *nehmen* in der richtigen Form.

a ◆ Nehmen .... Sie Milch und Zucker in den Kaffee?
○ Nein, danke.
b ◆ Wir brauchen Brot. Was .... wir: ein Weißbrot oder ein Schwarzbrot?
○ Ein Schwarzbrot.
c ◆ Ich möchte bitte Pommes mit Ketchup und ich .... eine Cola.
○ Kommt sofort.
d ◆ Ihr .... doch noch Apfelkuchen, oder?
○ Ja, gern.
e ◆ Cindy .... den Hamburger. .... du auch den Hamburger, Flori?
○ Nein, ich esse kein Fleisch.

D Freizeit und Hobbys

D2 23 Am Sonntag

a Markieren Sie noch zehn Wörter. Sehen Sie dann das Bild an und ordnen Sie zu.

WANDLESENGRISCHREIBFAHRENESSE(SPIELEN)GEGRILLENTANZEN
ASCHWIMMENREIWANDERNHÖRENSPAZIERENGEHENFAHRSPIELEN

1 ....
2 ....
3 Fußball spielen
4 ....
5 Gitarre ....
6 ....
7 ....
....
8 ....
9 Fahrrad ....
10 Musik ....

b Wer macht was? Ergänzen Sie in der richtigen Form.

1 Ein Mann schwimmt.
2 Eine Familie ....
3 ....
4 Zwei Freunde ....
5 Ein Mann ....
6 Zwei Frauen ....
7 Ein Mann und eine Frau
....
8 ....
9 Ein Kind ....
10 Ein Mann ....

D3 24 Verbinden Sie.

a Computerspiele
b Fahrrad
c Freunde
d ins Kino
e im Internet
f Krimis
g Sport
h Musik

1 spielen
2 machen
3 surfen
4 hören
5 gehen
6 fahren
7 lesen
8 treffen

D3 25 Was ist richtig? Kreuzen Sie an.

a Was ☒ machst du in der Freizeit? ○ deine Hobbys?
b In meiner Freizeit ○ sind Schwimmen und Wandern gut. ○ schwimme und wandere ich gern.
c Mein Lieblingsfilm ○ ist der James-Bond-Film *Skyfall*. ○ finde ich einen James-Bond-Film gut.
d Mein Hobby ○ ist Gitarrespielen. ○ spiele ich Gitarre.
e Ich finde Krimis ○ gern. ○ interessant.
f Was sind deine ○ Freizeit? ○ Hobbys?
g Im Sommer ○ finde ich Grillen sehr. ○ grille ich gern.

◇ D3 26 Ordnen Sie zu und ergänzen Sie.

● das Lieblingsbuch ● ~~der Lieblingsfilm~~ ● die Lieblingsfarbe ● das Lieblingsessen ● die Lieblingsmusik

a	Ich sehe sehr gern *Avatar*.	Mein *Lieblingsfilm* ist *Avatar*.
b	Ich finde Blau schön.	Meine .... ist ....
c	Ich esse sehr gern Pizza.	Mein ....
d	Ich lese total gern *Harry Potter*.	....
e	Ich höre sehr gern Rock.	....

❖ D3 27 Was macht Pawel gern in der Freizeit?
Schreiben Sie.

Hobbys: Kochen und Lesen
Lieblingsbuch: Das Parfum
auch viel im Internet surfen
gern Computerspiele spielen und ins Kino gehen

Pawel

Ich bin gern zu Hause. *Meine Hobbys* ....
....
Ich ....
Und ich ....
und ....

D3 28 Im Deutschlerner-Chat: Ergänzen Sie in der richtigen Form.

Moderatorin:	Heute ist das Chat-Thema „Freizeit". Ich fange mal an. Ich *fahre* (fahren) in meiner Freizeit gern Fahrrad.
Chiara01:	Du .... (fahren) gern Fahrrad? Ich nicht.
Halil_M:	Warum nicht? Fahrradfahren ist super – und Fußball. Aber ich lese auch gern.
Moderatorin:	.... (lesen) du viel, Halil?
Halil_M:	Ja, sehr viel. Besonders Krimis.
Moderatorin:	Wer .... (lesen) auch gern?
Jaime:	Ich!
Moderatorin:	Gut, Jaime und Halil, ihr .... (lesen) also gern. .... (treffen) ihr auch gern Freunde?
Jaime:	:-)
Halil_M:	Ja.
Moderatorin:	Und du, Chiara? .... (treffen) du gern deine Freunde? ... Chiara? Bist du noch da? ... . (schlafen) du? ... Huhu, Chiara!

E Besondere Hobbys

E1 29 Ordnen Sie zu.

Guck mal | Kein Problem | leider nicht | ~~na gut~~ | Na klar | Oh, wie dumm | Sag mal

a
- ◆ ....! Der Hund ist aber schön.
- ○ Stimmt. Der Hund gefällt mir auch.

b
- ◆ ...., sammelst du etwas?
- ○ ....! Ich sammle Speisekarten.

c
- ◆ Gehen wir ins Kino?
- ○ Nein, keine Zeit.
- ◆ Ach, bitte!
- ○ Hm, na gut.

d
- ◆ Machen wir heute Abend Pfannkuchen?
- ○ Sehr gern.
- ◆ ....! Wir haben kein Mehl mehr.
- ○ .... Ich kaufe schnell ein.

e
- ◆ Verstehst du den Satz?
- ○ Nein, ...

E1 30 *Finden:* Welche Bedeutung passt – *A* oder *B*? Ordnen Sie zu.

A

Klara findet Hunde super.

B

Said findet das Deutschbuch nicht.

1 Ⓑ Ich finde mein Smartphone nicht.
2 ○ Herr Bilaniuk findet Lesen toll.
3 ○ Wie findest du das Wetter heute?
4 ○ Entschuldigung, wo finde ich Eis?
5 ○ Ich finde Freunde wichtig.
6 ○ Tim findet die Dose.

E1 31 Was ist richtig? Hören Sie und kreuzen Sie an.

1 ◀)) 60-62

a ○ Laura schreibt Krimis. b ○ Kai findet Sport super. c ○ Fatima spielt Gitarre.

E2 32 Wörter mit *-en*

1 ◀)) 63 **a** Hören Sie und markieren Sie die Betonung: ___ .

Phonetik

Wolken – Wolkenfotos – fotografieren – gefallen – machen – spielen – keinen – kommen – anfangen

1 ◀)) 64 **b** Hören Sie noch einmal und sprechen Sie nach.

c Lesen Sie und spielen Sie die Gespräche mit Ihrer Partnerin / Ihrem Partner.

1
- ◆ Fotografieren Sie gern?
- ○ Ja. Wolken gefallen mir besonders gut. Ich mache Wolkenfotos.

2
- ◆ Was machen Sie gern in der Freizeit?
- ○ Schach spielen. Schach macht Spaß. Heute habe ich leider keinen Mitspieler. Spielen Sie mit? Kommen Sie! Wir fangen gleich an.

Test Lektion 6

6

WÖRTER

1 Bilden Sie Wörter und ordnen Sie zu.

1 ...... /6 Punkte

ken den mer ne net ~~pe~~ ~~ra~~ reg ~~ren~~ Som
Son Sü ~~Tem~~ ter ~~tu~~ Wet Wol

Das .... (a) morgen: Am Vormittag gibt es viele .... (b) und Regen, besonders im .... (c). Nur im Norden scheint die .... (d). Aber am Nachmittag .... (e) es auch dort. Temperaturen (f): 11 bis 16 Grad. Am Samstag dann bis 25 Grad – der .... (g) kommt!

2 Ergänzen Sie.

2 ...... /4 Punkte

A B C D E

Pauline schwimmt (A) gern. Sie .... (B) auch gern oder sie .... (C). Sie .... (D) Flamenco und sie .... (E). Pauline findet Sport super!

...... 0–5 / 6–7 / 8–10

GRAMMATIK

3 Ergänzen Sie die Endung, wo nötig.

3 ...... /5 Punkte

a Marie möchte Eis, aber Oma hat kein / Eis.
b Oma hat leider auch kein...... Kuchen und kein...... Pommes.
c Aber sie hat ein...... Salat mit Ei und ein...... Käsebrot.
d Marie möchte lieber ein...... Currywurst.

4 Ergänzen Sie: *der – den – im*.

4 ...... /5 Punkte

a Ich finde ...... Sommer schön. ...... Sommer ist es warm.
b Mir gefällt der Norden. ...... Norden ist es oft windig.
c ...... Herbst gefällt mir. ...... Herbst gibt es viele Farben.

5 Ergänzen Sie: *Ja – Nein – Doch*.

5 ...... /3 Punkte

a ◆ Hast du einen Hund? ☹ ○ Nein.
b ◆ Gefällt dir das Wetter nicht? ☺ ○ ....
c ◆ Nimmst du noch eine Pizza? ☺ ○ ....
d ◆ Trinkst du nicht auch gern Kaffee? ☹ ○ ....

...... 0–6 / 7–10 / 11–13

KOMMUNIKATION

6 Schreiben Sie Fragen in der *du*-Form.

6 ...... /3 Punkte

a ◆ Was ist dein Lieblingsspiel? ○ Ich habe kein Lieblingsspiel.
b ◆ ....? ○ Meine Hobbys sind Fotografieren und Wandern.
c ◆ ....? ○ Nein, Krimis gefallen mir nicht.
d ◆ ....? ○ In der Freizeit treffe ich meine Freunde.

...... 0–1 / 2 / 3

Fokus Beruf: Arbeitsaufträge verstehen

Ambulanter Pflegedienst Pfaffendorf

Tourenplan Frühdienst für Mitarbeiter/in: Justyna Kowalska

Datum: Di, 7. 5. Unterschrift: Justyna Kowalska

Zeit	Kundin / Kunde	Aufgaben A beim Aufstehen helfen	B duschen und Zähne putzen	C Frühstück machen / Mittagessen machen	D beim Essen helfen	E vorlesen / zusammen spielen
06.15 – 07.00 Uhr	Schlemmer, Ulrika	✓	✓	✓	✓	
07.10 – 07.40 Uhr	Gärtner, Friedrich	✓	✓	✓		
07.50 – 08.35 Uhr	Kurz, Roswitha	✓	✓	✓	✓	
08.45 – 09.30 Uhr	Wenger, Ludwig	✓	✓	✓	✓	
09.30 – 10.00 Uhr	Pause					
10.10 – 10.20 Uhr	Jensen, Hauke					✓
10.35 – 11.15 Uhr	Schmitz, Elisabeth			✓	✓	

1 Lesen Sie den Tourenplan von Justyna Kowalska und ergänzen Sie.

a Bei welcher Firma arbeitet sie? Ambulanter Pflegedienst Pfaffendorf
b Welcher Wochentag ist heute? ....
c Von wann bis wann arbeitet Justyna Kowalska heute? ....
d Wie viele Kunden hat sie? ....

2 Was sind Justynas Aufgaben? Ordnen Sie die Aufgaben aus dem Tourenplan zu.

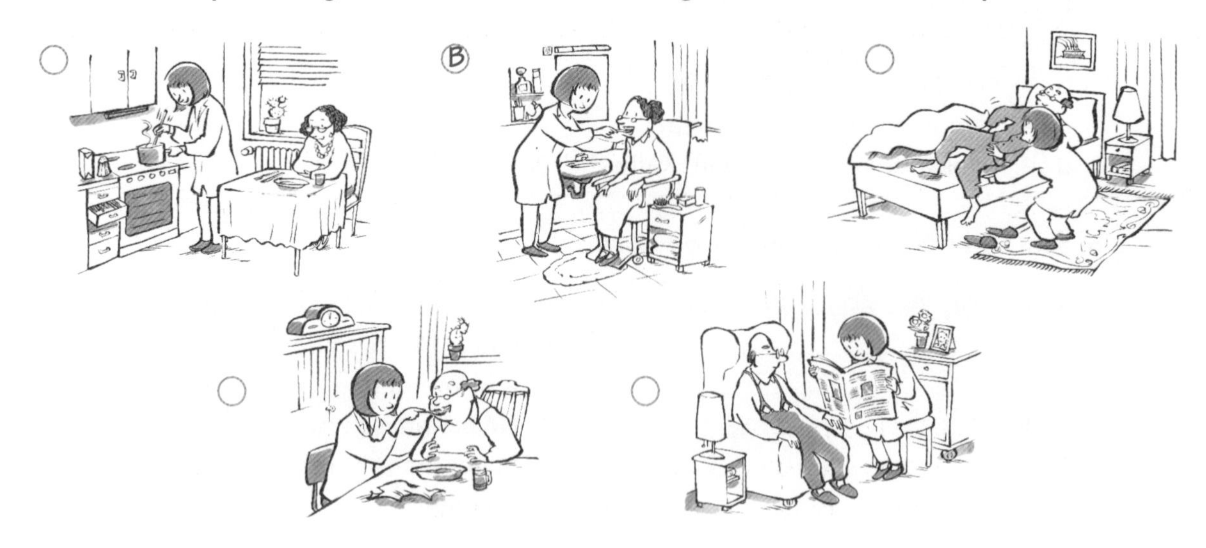

Fokus Alltag: Sich im Internet informieren

1 Monir fährt nach Dortmund. Lesen Sie.

Monir findet Fußball toll. Er ist Fan von Borussia Dortmund. Er wohnt aber in Berlin. Am Wochenende fährt er nach Dortmund und sieht sich das Spiel an. Er fährt schon am Freitagnachmittag. Am Sonntagabend kommt sein Lieblingsfilm im Fernsehen. Er möchte um acht Uhr zu Hause sein.

a Was schreibt Monir? Ergänzen Sie.

meinflotterbus.de

Start: ....

Ziel: ....

Wann?
hin: Freitag, 17.10.
zurück: ...., 19.10.

Fahrrad: ○ Ja ☒ Nein

suchen

b Welche Busse nimmt Monir? Kreuzen Sie an.

Fahrten am 17.10.	○ 10.00 – 15.50 Uhr	direkt	24,90 EUR	Platz reservieren
	○ 15.00 – 20.50 Uhr	direkt	22,90 EUR	Platz reservieren
	○ 19.00 – 00.50 Uhr	direkt	22,90 EUR	Platz reservieren
Fahrten am 19.10.	○ 10.10 – 16.35 Uhr	direkt	20,00 EUR	Platz reservieren
	○ 13.35 – 20.10 Uhr	direkt	22,90 EUR	Platz reservieren

c Ergänzen Sie.
Die Busfahrten kosten zusammen .... Euro.

2 Lesen Sie und korrigieren Sie.

Monir liest im Internet: Am Wochenende ist das Wetter gut. Er möchte das Fahrrad nach Dortmund mitnehmen. Ist eine Reservierung jetzt noch möglich? Er geht noch einmal auf die Seite von *meinflotterbus.de*

Häufige Fragen

Kann ich mein Fahrrad mitnehmen?

Ihr Fahrrad fährt mit – zum Preis von nur 9 Euro. Pro Bus haben wir Platz für maximal 5 Fahrräder. Bitte reservieren Sie einen Platz. Rufen Sie den Kundenservice an, Tel. 0800-123456. Wir reservieren gern einen Platz für Ihr Fahrrad.

a Ein Fahrrad kostet ~~nichts~~. 9 Euro
b Im Bus haben vier Fahrräder Platz. ....
c Für das Fahrrad braucht Monir keine Reservierung. ....

A Ich **kann** nicht in die Schule **gehen**.

A2 **1 Ordnen Sie zu.**

~~Sie kann leider nicht kommen.~~ Können Sie bitte Kaffee kaufen? Können wir morgen Mathe lernen? Könnt ihr bitte kommen? Kann ich bitte Frau Löffler sprechen? Kannst du bitte Tina wecken?

a
- Wo ist Nadja heute?
- Sie kann leider nicht kommen.
  Sie hat Bauchschmerzen.

b
- Stein-Schule, Schmidt, guten Tag.
- Guten Tag.
  ...
- Einen Moment, bitte.

c
- Frau Zeiler, wir haben keinen Kaffee.
  ...
- Ja, gern.

d
- Ich habe am Freitag keine Zeit.
  ...
- Ja, klar, mache ich.

e
- ...
- Ja, morgen habe ich Zeit.

f
- Tina und Nora!
  ...
- Klar.
- Was ist denn los?

A2 **2 Markieren Sie die Formen von *können* in 1 und ergänzen Sie.**

Grammatik entdecken

können					
ich		du		er/sie	kann
wir		ihr		sie/Sie	

A2 **3 Markieren Sie die Sätze und ergänzen Sie die Tabelle.**

Grammatik entdecken

ICHKANNHEUTEKEINEHAUSAUFGABENMACHENKÖNNENSIEDASBITTE
FRAUREIMANNSAGENKANNSTDUPETERWECKENWIRKÖNNENDENNIS
MORGENNICHTTREFFENKÖNNTIHRAMWOCHENENDEKOMMENLARISSA
KANNHEUTENICHTZUMARZTGEHEN

Ich	kann	heute keine Hausaufgaben	machen	.
	Können			?

A3 **4 Hören Sie und ordnen Sie.**

1 65

◯ reiten ◯ singen ① Klavier spielen ◯ Ski fahren ◯ schwimmen
◯ Kuchen backen ◯ Tennis spielen ◯ fotografieren

A3 5 Freizeit

a Was machen die Personen? Ergänzen Sie in der richtigen Form.

1 Samira ....
2 Ben ....
3 Alba ....
4 Jack und Ali fahren Fahrrad .

b Wie gut können die Personen das? Ergänzen Sie.

1 ☺☺ ....
2 ☺ ....
3 😐 ....
4 ☹ Jack und Ali können nicht gut Fahrrad fahren.

◇ A3 6 Schreiben Sie Sätze mit *können.*

a Olga – Gitarre spielen – ein bisschen — Olga kann ein bisschen Gitarre spielen.
b Sergey – reiten – gar nicht — ....
c Rasha und Adhurim – tanzen – sehr gut — ....
d Und Sie? — Ich ....

❖ A3 7 Schreiben Sie Gespräche mit *können.*

a
◆ du – Gitarre spielen – auch – ? — ◆ Kannst du auch Gitarre spielen?
○ aber ich – nein, – Klavier spielen – gut – . — ○ ....

b
▲ leider gar nicht gut – ich – kochen – . — ▲ ....
□ sehr gut – aber Sie – Kuchen backen – . — □ ....

A3 8 *sch, st* und *sp*

1 🔊 66 **a** Hören Sie und sprechen Sie nach.

Phonetik

die Schule – die Stadt – die Schweiz – die Straße – der Handstand – Spielen wir Schach? – Entschuldigung, wie schreibt man das? – Meine Schwester spricht Spanisch.

1 🔊 67 **b** Wo hören Sie *sch*? Hören Sie noch einmal und markieren Sie in a.

1 🔊 68 **c** Hören Sie und ergänzen Sie: *sch* oder *s*.

1 Gehen wir s pazieren?
2 Wie .... pät ist es?
3 Buch .... tabieren Sie, bitte.
4 Das .... meckt gut.
5 Er ist Fußball .... pieler.
6 .... prichst du .... panisch?

B Ja, sie **will** den Mathetest **schreiben**.

B1 **9 Lesen Sie und markieren Sie die Formen von *wollen*. Ergänzen Sie dann die Tabelle.**

Grammatik entdecken

◆ Machst du jetzt Hausaufgaben?
○ Nein, ich gehe jetzt zu Hanna. Wir wollen für die Party einkaufen. Und dann gehen wir noch zu Luisa.
◆ Was wollt ihr denn bei Luisa machen?
○ Kuchen essen. Luisa will einen Kuchen backen.
◆ Und wann willst du die Hausaufgaben machen?
○ Ich will gar keine Hausaufgaben machen. Aber ich kann sie ja heute Abend machen.

wollen					
ich	....	du	....	er/sie	....
wir	wollen	ihr	....	sie/Sie	wollen

B1 **10 Schreiben Sie Sätze mit *will*.**

a Malo – heute auf jeden Fall noch Deutsch – lernen
Malo will heute auf jeden Fall noch Deutsch lernen.

b der Lehrer – morgen einen Test – schreiben
....

c Malo – morgen nicht zu spät – kommen
....

d Er – alles richtig – machen
....

e Malo – im Sommer in Österreich – arbeiten
....

B2 **11 Ergänzen Sie *wollen* in der richtigen Form.**

B3 12 Ordnen Sie zu.

Nein! Ich will jetzt fernsehen! Ich möchte kein Gemüse essen.
Ich will aber kein Gemüse essen! ~~Jetzt nicht. Ich möchte gern fernsehen.~~

a
◆ Gehen wir ein bisschen spazieren?
○ Jetzt nicht. Ich möchte gern fernsehen.
◆ Nur kurz. Bitte!
○ ...

b
▲ Kommst du bitte, das Gemüse ist fertig.
□ ...
▲ Kommst du jetzt endlich? Wir essen!
□ ...

B3 13 Was sagen die Personen?

Schreiben Sie Gespräche mit *„möchte"* und *wollen*.

◇ Guten Tag. Was möchten Sie?
▲ Ich möchte gern ...

A

B

C

B3 14 Finden Sie die passenden Ausdrücke und notieren Sie.

a Spiele machen
b

C Du **hast** nicht **gelernt**.

C2 15 Ergänzen Sie.

ich habe
du hast
er/sie hat
wir haben
ihr habt
sie/Sie haben

gearbeitet	arbeiten	Ich habe am Morgen viel gearbeitet.
gelernt	....	Wo .... du Deutsch ....?
gegessen	....	Er .... vier Brötchen ....
gehört	....	Sie .... Musik ....
gelesen	....	Wir .... den Text nicht ....
gemacht	....	.... ihr die Hausaufgaben ....?
geschlafen	....	Sie .... lange ....
geschrieben	....	Uli und Eva .... Diktate ....
gespielt	....	.... Sie Klavier ....?

C2 16 Ordnen Sie zu.

a ~~kaufen~~ b kochen c kosten d leben e sagen f treffen g wohnen h sprechen i suchen j frühstücken k grillen l trinken m sehen

◯ getrunken ◯ gefrühstückt ◯ gesagt ◯ gesehen ◯ getroffen ◯ gekocht
◯ gelebt ◯ gesprochen ⓐ gekauft ◯ gekostet ◯ gegrillt ◯ gesucht ◯ gewohnt

C2 17 Machen Sie zwei Tabellen mit den Wörtern aus 15 und 16.

Grammatik entdecken

ge...(e)t

	er/es/sie	er/es/sie hat
arbeiten	arbeitet	gearbeitet

ge...en

	er/es/sie	er/es/sie hat
essen	isst	gegessen

C4 18 Ordnen Sie zu und ergänzen Sie in der richtigen Form.

lernen ~~kaufen~~ schlafen treffen kochen sagen essen

a
◆ Ich gehe in den Supermarkt. Wir brauchen ...
○ Ich habe doch schon alles gekauft.

b
◆ Kinder, das Abendessen ist fertig!
○ Was .... du heute ....?

c
◆ Sprichst du Englisch?
○ Ja, ich .... es in der Schule ....

d
◆ Möchtest du einen Kuchen?
○ Nein, danke. Ich .... schon zwei Brötchen ....

e
◆ Wie geht es Miriam?
○ Ich weiß es nicht. Ich .... sie lange nicht ....

f
◆ Bist du müde?
○ Ja, ich .... heute Nacht nicht viel ....

g
◆ Was macht Lea am Wochenende?
○ Ich weiß es nicht. Sie .... nichts ....

C4 19 Lesen Sie und markieren Sie die Sätze wie im Beispiel. Ergänzen Sie dann die Tabelle.

Grammatik entdecken

E-Mail senden

Liebe Lena,
hast Du meine E-Mail gelesen? Du hast lange nicht geschrieben. Hier ist alles prima. Ich habe viel mit Paula gelernt. Wir haben am Morgen Englisch geübt. Am Vormittag hat sie einen Test geschrieben. Du weißt ja, in Englisch bin ich gut. Wir haben früher ja auch zusammen Englisch gelernt. In Deutsch bin ich leider nicht so gut! ;-) Und Du? Was hast Du gemacht?
Liebe Grüße
Sara

	Hast	Du meine E-Mail	gelesen	?
Du	hast	lange nicht	geschrieben	.

◇ C4 20 Lesen Sie und schreiben Sie.

Was macht ihr am Sonntag?

Am Sonntag schlafen wir lange. Dann lese ich und ich lerne ein bisschen Deutsch. Jens hört Musik und kocht das Mittagessen. Am Nachmittag machen wir Sport. Am Abend spielen wir mit Freunden Tennis.

Was habt ihr am Sonntag gemacht? Am Sonntag haben wir lange geschlafen. …

❖ C4 21 Was haben Sie am Sonntag gemacht? Machen Sie Notizen und schreiben Sie dann.

- mit Cem frühstücken
- …

Am Sonntag habe ich lange mit Cem gefrühstückt. Dann …

C4 22 Lesen Sie die E-Mail in 19 noch einmal und schreiben Sie die Antwort.

Schreibtraining

E-Mail lesen | viel arbeiten | eine neue Wohnung suchen | viele Möbel kaufen | auch einen Kurs machen | Spanisch lernen | auch Spanisch lernen?

E-Mail senden

Liebe Sara,
ja, ich habe Deine E-Mail gelesen.
Ich habe viel gearbeitet.

D Bist du pünktlich gekommen?

D1 23 Ergänzen Sie.

ich bin du bist er/sie ist wir sind ihr seid sie/Sie sind	gegangen	gehen	Ich bin heute nicht in die Schule gegangen. _____ du am Morgen in die Schule _____?
	gefahren	_____	Sie _____ nach Berlin _____. Wir _____ am Sonntag Fahrrad _____.
	gekommen	_____	Wann _____ ihr nach Deutschland _____? Ina und Uli _____ zu spät _____.

D1 24 Machen Sie eine Tabelle mit den Wörtern aus 23.

Grammatik entdecken

ge...en

	er/es/sie	er/es/sie ist
fahren	fährt	gefahren

D3 25 Ergänzen Sie *haben* oder *sein* in der richtigen Form.

◆ Du bist müde, oder? Was hast du gestern gemacht?
○ Am Nachmittag _____ Maria gekommen und wir _____ Skateboard gefahren. Wir _____ bei Mario eine Pizza gegessen und dann _____ wir nach Hause gefahren. Mit Luisa und Frederic _____ wir noch Hausaufgaben gemacht. Um elf Uhr _____ Maria nach Hause gegangen und ich _____ noch ein bisschen Musik gehört.
◆ _____ du wieder spät ins Bett gegangen?
○ Ja, aber morgen habe ich frei. Dann kann ich lange schlafen.

D3 26 Markieren Sie die Sätze und ergänzen Sie die Tabelle.

Grammatik entdecken

MEHMETISTAUSDERTÜRKEINACHDEUTSCHLANDGEKOMMENER
HATLANGEINENGLANDGEARBEITETJETZTWILLERWIEDERIN
DEUTSCHLANDLEBENERHATEINEWOHNUNGINKÖLNGEKAUFT

Mehmet	ist	aus der Türkei nach Deutschland	gekommen.

◇ D3 27 Verbinden Sie.

a Ernesto will — nicht so gut tanzen.
b Kathi ist — nächsten Winter in Norwegen Ski fahren.
c Vitali hat — am Sonntag gearbeitet.
d Aziza kann — im Sommer zwei Wochen in Italien gewandert.

❖ D3 28 Ergänzen Sie in der richtigen Form.

heute:

a 20 km wandern

b ins Café gehen

c kochen

d früh ins Bett gehen

am Mittwoch:

e nach Freiburg fahren wollen

f einkaufen wollen

g eine Wanderkarte kaufen können

Liebe Sünje,
wir sind gut in den Schwarzwald gekommen. Es ist sehr schön hier. Heute sind wir 20 Kilometer gewandert (a).
Am Nachmittag .... (b).
Am Abend .... (c).
Wir .... (d).
Am Mittwoch wollen wir nach Freiburg fahren (e). Dort ....
.... (f). Vielleicht ....
eine neue Wanderkarte .... (g). Wir haben die Wanderkarte nämlich zu Hause vergessen.
Liebe Grüße Urs und Tanja

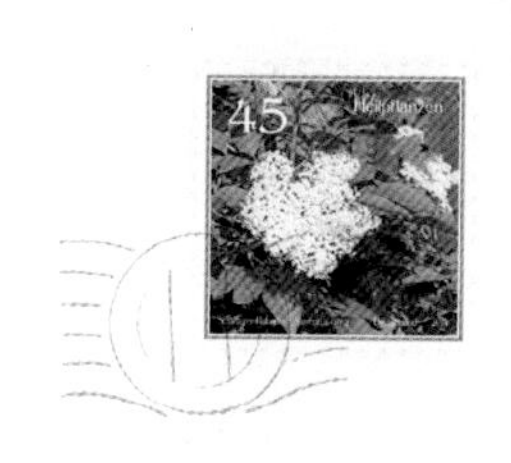

D3 29 Hören Sie das Gespräch.

1 69 **a** Wo sind Frau Wenzel und Herr Bah? Kreuzen Sie an.

○ im Restaurant

○ im Deutschkurs

○ auf der Straße

1 69 **b** Was ist richtig? Hören Sie noch einmal und kreuzen Sie an.

1 Herr Bah ist ☒ zwei Wochen ○ am Wochenende in Polen gewandert.
2 Frau Wenzel ist einmal nach Danzig gefahren. Dort hat es ○ viel ○ nicht geregnet.
3 Herr Bah hat Danzig ○ gut gefallen. ○ nicht gesehen.

E Kommunikation mit der Schule

E1 30 Bilden Sie Wörter und ordnen Sie zu.

Ergänzen Sie: *der – das – die*.

~~bad~~	chen	Ein	ge
Grund	Jun	le	Ma	Mäd
richt	schu	~~Schwimm~~	ter
test	the	tritt	Un

A 

● das Schwimmbad

B 

● ....

C 

● ....

D 

● ....

E 

● ....

F 

● ....

G 

● ....

E4 31 Kommunikation mit der Schule: Lesen Sie und ordnen Sie.

Bremen, 24.09.

③ Er kann heute und morgen nicht zum Unterricht kommen.
◯ mein Sohn Tobias geht in die Klasse von Frau Meikert. Tobias ist krank.
◯ Liebe Frau Ohler,
◯ Mit freundlichen Grüßen
◯ Leider kann er am Freitag auch nicht zum Ausflug mitkommen.

Linda Veit

E4 32 Sie können nicht zum Unterricht kommen.

Prüfung

Schreiben Sie an Ihre Kursleiterin / Ihren Kursleiter.

Warum schreiben Sie?
Warum können Sie nicht kommen?
Wann kommen Sie wieder?

a Markieren Sie passende Sätze.

Liebe Frau ... / Lieber Herr ... | Liebe ... / Lieber ... | heute / am Montag / am ...
nicht zum Unterricht / nicht zum Deutschkurs / ... | ich bin krank / Kind ist krank
zum Arzt gehen | morgen / am Montag / ... wieder zum Unterricht kommen
Mit freundlichen Grüßen / Viele Grüße

b Schreiben Sie die E-Mail. Schreiben Sie zu jedem Punkt einen Satz.
Schreiben Sie auch eine Anrede und einen Gruß.

E-Mail senden

Liebe Frau ...,

Test Lektion 7

7

1 Was passt nicht? Streichen Sie.

1 ...... /4 Punkte

WÖRTER

a Ski fahren – ~~Kuchen backen~~ – reiten – Tennis spielen
b Diktate schreiben – Klavier spielen – stricken – tanzen
c fotografieren – schlafen – malen – singen
d Grammatik üben – einen Test schreiben – Übungen machen – kochen
e der Unterricht – der Arzt – die Klasse – die Schule

0–2 / 3 / 4

2 Ergänzen Sie *wollen* oder *können* in der richtigen Form.

2 ...... /5 Punkte

GRAMMATIK

◆ Am Wochenende .... (a) Nadja und ich reiten gehen. Willst (b) du mitkommen?
○ Gern. Aber ich .... (c) gar nicht reiten.
◆ Das ist kein Problem. Das .... (d) du lernen.
○ Okay. Wann .... (e) ihr denn losfahren?
◆ Am Nachmittag. Wir .... (f) uns um 14.30 Uhr treffen.

3 Ergänzen Sie mit *sein* oder *haben* in der richtigen Form.

3 ...... /8 Punkte

◆ Was hast du am Sonntag gemacht (machen) (a)?
○ Ich .... lange .... (schlafen) (b).
Dann .... ich .... (frühstücken) (c).
Und am Nachmittag .... ich zu Fred .... (fahren) (d).
Wir .... Schach .... (spielen) (e).

4 Schreiben Sie Sätze.

4 ...... /4 Punkte

◆ Wollen wir am Wochenende einen Ausflug machen (a)?
(am Wochenende – einen Ausflug machen – wollen – wir)
○ Ja, gute Idee. Ich .... (b). (lange – keinen Ausflug – gemacht)
Was .... (c)? (du – möchten – machen)
◆ Wir .... (d). (Fahrrad fahren – können)
○ Oh ja! Wann .... (e)? (wir – wollen – losfahren)
◆ Um 10 Uhr.

0–8 / 9–13 / 14–17

5 Ordnen Sie zu.

5 ...... /4 Punkte

KOMMUNIKATION

Gute Besserung   sage es Frau Beck   ~~nicht zum Deutschkurs kommen~~
tut mir leid   bin krank

◆ Volkshochschule Bielefeld. Hier spricht Weidenfeller.
○ Guten Morgen, Frau Weidenfeller. Mein Name ist Schariati. Ich kann heute nicht zum Deutschkurs kommen (a). Ich .... (b).
◆ Oh, das .... (c). Ich .... (d). .... (e)!
○ Vielen Dank. Auf Wiederhören.

0–2 / 3 / 4

Fokus Beruf: Sich krankmelden

1 Krankmeldung am Telefon

a Lesen Sie das Gespräch. Wer sagt was? Verbinden Sie.

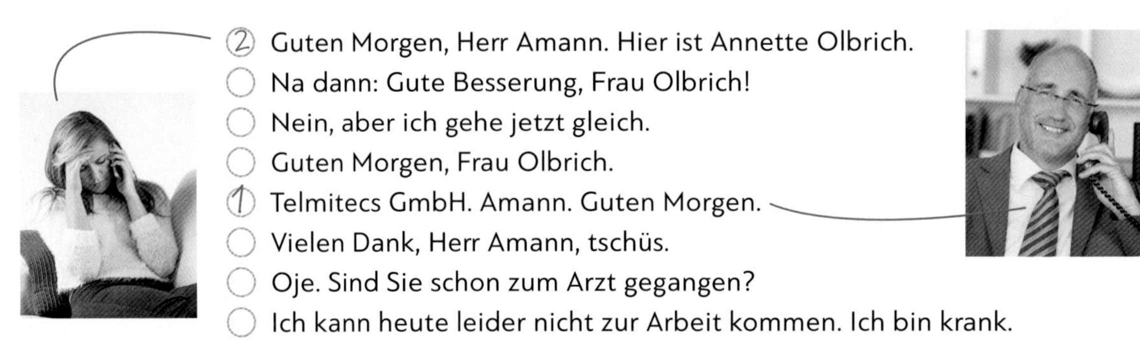

- (2) Guten Morgen, Herr Amann. Hier ist Annette Olbrich.
- ◯ Na dann: Gute Besserung, Frau Olbrich!
- ◯ Nein, aber ich gehe jetzt gleich.
- ◯ Guten Morgen, Frau Olbrich.
- (1) Telmitecs GmbH. Amann. Guten Morgen.
- ◯ Vielen Dank, Herr Amann, tschüs.
- ◯ Oje. Sind Sie schon zum Arzt gegangen?
- ◯ Ich kann heute leider nicht zur Arbeit kommen. Ich bin krank.

1 ◀)) 70 b Ordnen Sie das Gespräch. Hören Sie dann und vergleichen Sie.

c Schreiben Sie ein Gespräch mit Ihrer Partnerin / Ihrem Partner und spielen Sie dann.

Partner A:	Partner B:
Sie sind die Chefin Annabell Groß.	Sie sind krank und rufen in der Firma an.

◇ CompuTec GmbH, Annabell Groß, guten Morgen.
• Guten Morgen, Frau Groß. Hier ist …

2 E-Mail an eine Kollegin

a Lesen Sie die E-Mail. Was ist richtig? Kreuzen Sie an.

E-Mail senden

Liebe Sonja,
Du hast es vielleicht schon gehört. Ich bin krank und komme gerade vom Arzt. Ich kann erst am Montag wieder arbeiten. Morgen ist mein Termin mit Frau Kleinert und ich kann nicht kommen. Kannst Du Frau Kleinert bitte heute anrufen? Ich telefoniere dann am Montag mit Frau Kleinert. Dann kann ich wieder einen Termin machen.
Vielen Dank und liebe Grüße
Annette

1 ◯ Annette kann morgen wieder arbeiten.
2 ☒ Annette kann Frau Kleinert morgen nicht treffen.
3 ◯ Annette ruft Frau Kleinert heute an.
4 ◯ Annette macht einen neuen Termin.

Schreibtraining b Schreiben Sie eine Antwort an Annette.

~~leidtun~~ | Frau Kleinert angerufen haben | Frau Kleinert am Montag nicht arbeiten | Du Frau Kleinert am Dienstag anrufen können | gute Besserung

E-Mail senden

Liebe Annette,
das tut mir leid.
....
....
Liebe Grüße Sonja

Fokus Familie: Lern- und Freizeitangebote

7

1 Lesen Sie und markieren Sie.

Welches Problem haben die Kinder? Was machen die Kinder jetzt? Wo machen sie das?

Peter

Mein Sohn Malte ist 14 Jahre alt und hat Probleme in Mathematik. Leider! Meine Frau und ich arbeiten den ganzen Tag, wir können nicht helfen. Malte geht jetzt zum Nachhilfeunterricht in ein Nachhilfeinstitut. Das ist teuer, aber vielleicht hilft es!

Susanne

Meine Tochter Johanna ist 11 Jahre alt und macht keinen Sport. Ich finde aber, Sport ist wichtig. Johanna hat früher Fußball gespielt und sie ist auch im Schwimmverein gewesen. Aber das möchte sie nicht mehr. Jetzt macht sie einen Tanzkurs im Verein. Das passt gut, Johanna mag auch sehr gern Musik.

Annika

Ich bin oft im Internet und chatte, aber Programme wie Word®, PowerPoint® und Excel® kenne ich nicht gut. Ich bin jetzt 16 Jahre alt und lerne schon bald einen Beruf. Da brauche ich die Programme auch. Ich mache jetzt einen Computerkurs bei uns im Freizeit-Treff. Da lerne ich viel und der Unterricht kostet nichts!

2 Lesen Sie die Anzeigen. Was passt? Ordnen Sie den Personen in 1 die Anzeigen zu.

A

Willkommen im Freizeit-Treff Lerchenau!
Wir haben viele tolle Angebote und Kurse für dich:

- **Nachhilfe** in Mathematik, Deutsch und Englisch und **Hausaufgabenhilfe** für Schüler ab Klasse 8. (Melde dich bei Felix. Tel. 788735)
- **Computer**: In unserem Computerraum kannst du Hausaufgaben machen. Hier kannst du auch Kurse in Word®, PowerPoint® und Excel® machen – die **Computerkurse** kosten nichts!
- **Hip-Hop und Breakdance-Kurse** (am 31.01. starten die neuen Kurse!)
- **Kino** (2 x im Monat)

B

Lernfit – Die Nachhilfeschule!
Intensive Nachhilfe bei Lernproblemen!
Alle Fächer (auch Computerkurse), alle Schulklassen
Kleingruppen und Einzelunterricht
kostenloser Probeunterricht!
Einzelstunden nur 30 Euro pro Stunde!

C

Neu bei uns: Hip-Hop-Kurse für Kinder und Jugendliche
Du magst Hip-Hop und willst tanzen lernen?
Mädchen und Jungen von 9 bis 13 Jahren trainieren mit Tina, immer Di, 17–18 Uhr.
Jugendliche ab 14 Jahren trainieren mit Jessica, immer Do 18–19 Uhr.
Du kannst einfach kommen. Wir freuen uns auf dich!
WESTERSTEDER SV

Person	Peter	Susanne	Annika
Anzeige			

3 Lesen Sie die Anzeigen in 2 noch einmal und korrigieren Sie.

A Im Freizeit-Treff gibt es Nachhilfe in Mathe, Deutsch und Arabisch. ____________

B Bei *Lernfit* kosten Einzelstunden 50 Euro. ____________

C Im Sportverein trainieren Mädchen und Jungen von ~~17 bis 18~~ Jahren am Dienstag. 9 bis 13

Meine Wörter im Kurs

ansehen		Sehen Sie die Fotos an.
• das Bild, -er		Sehen Sie die Bilder an.
hören		Hören Sie.
noch einmal		Hören Sie noch einmal.
ankreuzen		Kreuzen Sie an.
zuordnen		Ordnen Sie zu.
ergänzen		Ergänzen Sie.
machen		Machen Sie einen Film.
• der Kurs, -e		Im Kurs.
sprechen		Sprechen Sie im Kurs.
lesen		Lesen Sie.
• das Gespräch, -e		Lesen Sie die Gespräche.
spielen		Spielen Sie die Gespräche im Kurs.
suchen		Suchen Sie.
zeigen		Zeigen Sie.
fragen		Fragen Sie im Kurs.
markieren		Markieren Sie.
• die Frage, -n		Ergänzen Sie Fragen.
nachsprechen		Hören Sie und sprechen Sie nach.
raten		Raten Sie.
• das Wort, ¨-er		Raten Sie Wörter.
• die Lektion, -en		Raten Sie Wörter aus der Lektion.
meinen		Was meinen Sie?
sagen		Was sagen die Personen?
notieren		Notieren Sie.
vergleichen		Vergleichen Sie.
schreiben		Schreiben Sie Gespräche.
variieren		Variieren Sie.
erzählen		Erzählen Sie.
arbeiten		Arbeiten Sie zu zweit.
zeichnen		Zeichnen Sie.
verbinden		Hören Sie und verbinden Sie.
• die Antwort, -en		Schreiben Sie Fragen und Antworten.

1 Guten Tag. Mein Name ist ...

FOTO-HÖRGESCHICHTE

1	ich	Ich bin Lili.
	heißen	Ich heiße Lara Nowak.
	• der Name, -n	Mein Name ist Walter Baumann.
2	kommen	Ich komme aus Deutschland.
	Deutschland	Ich komme aus Deutschland.
	sprechen	Ich spreche Polnisch.
	• (das) Deutsch	Ich spreche Deutsch.
	und	Ich spreche Deutsch und Englisch.
	ein bisschen	Ich spreche Deutsch, Englisch und ein bisschen Spanisch.

A

A1	Guten Tag	Guten Tag.
	hallo	Hallo! – Guten Tag.
	Auf Wiedersehen	Auf Wiedersehen.
	tschüs 	Tschüs.
A2	• der Herr, -en	Guten Tag, Herr Díaz.
	• das Kind, -er 	Tschüs, Kinder.
	Guten Abend	Guten Abend, meine Damen und Herren.
	• die Dame, -n	Guten Abend, meine Damen und Herren.
	willkommen	Willkommen bei „Musik international".
	bei	Willkommen bei „Musik international".
	• die Musik (Sg.)	Willkommen bei „Musik international".
	international	Willkommen bei „Musik international".
	Guten Morgen	Guten Morgen, Frau Fleckenstein.
	• die Frau, -en	Guten Morgen, Frau Fleckenstein
	danke 	Oh, danke.
	Gute Nacht	Gute Nacht. – Nacht, Papa.
	• der Papa, -s	Nacht, Papa.

Lernwortschatz

	B		
B1	sein		Ich bin Sofia Baumann.
B2	• die Entschuldigung, -en		Entschuldigung, wie heißen Sie?
	wie		Wie heißen Sie?
	Sie		Wie heißen Sie?
B4	wer		Wer ist das?
	ja		Ja, stimmt.
	nein		Das ist Sofia. – Nein, das ist Lara.
	C		
C1	woher		Woher kommst du?
	aus		Ich bin aus der Ukraine.
	du		Wer bist du?
	Österreich		Ich komme aus Österreich.
	• die Schweiz		Ich komme aus der Schweiz.
C2	aha		Aha!
	toll		Ah, toll.
	interessant		Aus Thailand? Interessant.
C3	was		Was sprechen Sie, Frau Tufan?
	auch		Aha, auch Türkisch.
	• die Sprache, -n		Sprache: Deutsch, Polnisch, ...
	D		
D1	• der Buchstabe, -n		Buchstabe: a, k, s ...
	• das Alphabet (Sg.)		das Alphabet: A, B, C ...
D2	Wie bitte?		Wie bitte?
	buchstabieren		Ich buchstabiere: K - O - S - T - A - D - I - N - O – V
	bitte		Buchstabieren Sie, bitte.
D3	• die Firma, Firmen		Firma Microlab, guten Tag.
	Vielen Dank		Vielen Dank.
	Auf Wiederhören		Auf Wiederhören, Herr Kostadinov.
	E		
E1	• die Adresse, -n		Adresse: Hofgasse 8, 6020 Innsbruck
	• die Visitenkarte, -n		Schreiben Sie Ihre Visitenkarte.

	• der Vorname, -n	....	Vorname: Lorenzo, Lucie, Jürgen, ...
	• der Familienname, -n	....	Familienname: Menardi, Plank, ...
	• die Straße, -n	....	Straße: Hofgasse, Bahnhofstraße, Aachener Straße ...
	• die Stadt, ¨-e	....	Stadt: Berlin, Linz, Schaan, ...
	• das Land, ¨-er	....	Land: Österreich, Schweiz, ...
	• die E-Mail, -s	....	E-Mail: l-eigner@dk.de
	• das Telefon, -e	....	Telefon: 041 227 11 00
E2	• das Formular, -e	....	Ergänzen Sie das Formular.
	• der Kurs, -e	....	Kurs A1/1 Deutsch als Fremdsprache
E3	• die Fremdsprache, -n	....	Ich spreche eine Fremdsprache: Deutsch.
	• die Anmeldung, -en	....	Kurs A1/1 Deutsch als Fremdsprache – Anmeldung
	• die Postleitzahl, -en	....	Die Postleitzahl ist 50676.

TIPP
Lernen Sie Wörter in Gruppen.

Türkisch
Sprachen
Polnisch
Deutsch

Länder und Sprachen

2 Meine Familie

FOTO-HÖRGESCHICHTE

1	lernen	Tim lernt auch Deutsch.
	• der Park, -s	Tim und Lara lernen im Park.
	• die Pause, -n	Tim und Lara haben Pause.
3	• die Familie, -n	Das ist meine Familie.
	• der Vater, ¨	Das ist Laras Vater.
	• die Großeltern (Pl.)	Das sind Laras Großeltern.
	• die Mutter, ¨	Das ist Laras Mutter.
	• die Eltern (Pl.)	Das sind Tims Eltern.
	• der Bruder, ¨	Das ist Tims Bruder.
	• die Geschwister (Pl.)	Lara hat Geschwister.
	• das Jahr, -e	Lara ist zwanzig Jahre alt.
	leben	Laras Vater lebt in Poznań.
	in	Laras Vater lebt in Poznań.

A

A1	gut	Wie geht's? – Gut, danke.
	super	Wie geht's? – Super.
	na ja	Wie geht's? – Na ja, es geht.
	ach	Wie geht's? – Ach, nicht so gut.
	so	Wie geht's? – Nicht so gut.
	sehr	Wie geht's? – Danke, sehr gut.

B

B1	• der Enkel, - / • die Enkelin, -nen	Lili ist Walters Enkelin.
	• die Tochter, ¨	Sofia ist Walters Tochter.
	• der Sohn, ¨e	Tobias ist Walters Sohn.
	• die Schwester, -n	Sofia ist Tobias Schwester.
	• die Oma, -s	Luise ist Lilis Oma.
	• der Mann, ¨er	Walter ist Luises Mann.
	• der Opa, -s	Walter ist Lilis Opa.
B2	dein-	Wer ist das? Dein Bruder?
	mein-	Das ist mein Vater.
	Ihr-	Lili ist Ihre Tochter.

B3	der Ehemann, ⸚er / die Ehefrau,-en		María ist deine Ehefrau.
	falsch		María ist deine Ehefrau. – Nein, falsch.

C

C1	sie (Singular)		Das ist Lara. Sie kommt aus Polen.
	zusammen		Laras Eltern leben nicht zusammen.
	sie (Plural)		Das sind Laras Eltern. Sie sind geschieden.
	geschieden		Sie sind geschieden.
	er		Das ist Tim. Er kommt aus Kanada.
	wohnen		Tim wohnt jetzt in München.
	jetzt		Tim wohnt jetzt in München.
C3	ihr		Wer seid ihr? – Wir sind Merima und Anisa.
	wir		Wir kommen aus Bosnien.

D

D1	die Zahl, -en		Zahl: 0, 1, 2, ...
D3	wo		Wo wohnen Sie?
	geboren		Wo sind Sie geboren?
	die Nummer, -n		Wie ist Ihre Telefonnummer?
	verheiratet		Ich bin verheiratet.
	haben		Haben Sie Kinder?
	der Geburtsort, -e		Geburtsort: Madrid
	der Wohnort, -e		Wohnort: 20249 Hamburg
	der Familienstand (Sg.)		Familienstand: geschieden
	ledig		Ich bin ledig.
	verwitwet		Ich bin verwitwet.
	das Alter, -		Alter: 8 und 5

E

E1	der Norden (Sg.)		Hamburg ist im Norden.
	der Osten (Sg.)		Leipzig ist im Osten.
	der Süden (Sg.)		München ist im Süden.
	der Westen (Sg.)		Köln ist im Westen.
	die Hauptstadt, ⸚e		Berlin ist die Hauptstadt von Deutschland.

Lernwortschatz

Süd-		München ist in Süddeutschland.
Nord-		Kiel ist in Norddeutschland.
E2 • der Lehrer, - / • die Lehrerin, -nen		Mein Vater ist Lehrer.
• der/• die Deutsche, -n		Mein Vater ist Kroate, meine Mutter ist Deutsche.

TIPP
Lernen Sie immer so:

ich spreche
du sprichst
er/sie spricht

Familienmitglieder

3 Einkaufen

FOTO-HÖRGESCHICHTE

1 • die Banane, -n		Lara und Sofia haben Bananen.
• die Butter (Sg.)		Lara und Sofia haben Butter.
• das Ei, -er		Sie haben Eier.
• das Mehl (Sg.)		Lara und Sofia haben Mehl.
• die Milch (Sg.)		Lara und Sofia haben Milch.
• der Zucker (Sg.)		Lara und Sofia haben Zucker.
• der Pfannkuchen, -		Superlecker ... Bananenpfannkuchen!
• die Schokolade (Sg.)		Das ist Schokolade.

2	brauchen	Sie brauchen Eier.
	kaufen	Lili kauft Bananen.
3	• der Hunger (Sg.)	Ich habe Hunger.
	• der Euro (Sg.)	Das macht dann 3 Euro 87.

A

A1	• das Fleisch (Sg.)	Haben wir Fleisch?
	• das Bier (Sg.)	Haben wir Bier?
	• der Käse (Sg.)	Ich habe Käse.
	• das Salz (Sg.)	Haben Sie Salz?
	• der Tee, -s	Haben wir Tee?
	• das Brot, -e	Sind das Brote?
	• der Wein, -e	Brauchen wir Wein?
	• das Mineralwasser (Sg.)	Haben wir Mineralwasser?
	• der Reis (Sg.)	Brauchst du Reis?
	• der Fisch, -e	Brauchen wir Fisch?

B

B1	ein-	Das ist ein Schokoladenei.
	kein-	Das ist doch kein Ei!
B2	• der Apfel, ¨	Das ist kein Apfel.
	• die Orange, -n	Das ist eine Orange.
	• der Kuchen, -	Das ist kein Kuchen.
	• der Kaffee, -s	Das ist kein Kaffee.
	• der Saft, ¨-e	Das ist kein Saft.
	• das Brötchen, -	Das ist doch kein Brötchen.
	• das Würstchen, -	Ist das ein Würstchen?
	• die Birne, -n	Das ist keine Birne.
	• die Tomate, -n	Das ist eine Tomate.

C

C3	• die Kartoffel, -n	Nein, das sind keine Kartoffeln.
	• der/• das Joghurt, -s	Ist das ein Joghurt?
	• die Zwiebel, -n	Sind das Zwiebeln?
C4	• das Regal, -e	In Regal A sind drei Bananen.

Lernwortschatz

D

D1	• der Preis, -e	Preis: 2,45 Euro.
	• der Cent (Sg.)	Das macht 2 Euro und 45 Cent.
D3	• der Prospekt, -e	Sehen Sie den Prospekt an.
	• das Sonderangebot, -e	Heute im Sonderangebot: 4 Kiwis für 0,80 €!
	• das Lebensmittel, -	Lebensmittel: Milch, Brot, Eier ...
	wie viel	Wie viel kostet ein Brot?
	kosten	Ein Brot kostet 2,49 €.
	• das Kilo(gramm) (kg) (Sg.)	Wie viel kostet ein Kilo Orangen?
	• das Gramm (g) (Sg.)	Was kosten 100 Gramm Käse?
	• das Pfund (Sg.)	Wie viel kostet ein Pfund Äpfel?
	• der Liter (l), -	Ein Liter Milch kostet 75 Cent.
	• die Flasche, -n	Eine Flasche Saft kostet 1,09 €.
	• die Dose, -n	Eine Dose Tomaten kostet 0,49 €.
	• die Sahne (Sg.)	Ein Becher Sahne kostet 39 Cent.
	• die Wurst, ¨-e	100 Gramm Wurst kosten 2,29 €.
	• das Hackfleisch (Sg.)	Wie viel kostet ein Kilo Hackfleisch?

E

E1	• der Verkäufer, - / • die Verkäuferin, -nen	Ich bin Verkäufer.
	• der Kunde, -n / • die Kundin, -nen	Ich bin Kunde.
	noch	Ich brauche auch noch Äpfel.
	all-	Das ist alles.
E2	möchten	Ich möchte Birnen.
	finden	Wo finde ich Spinat?
	• der Laden, ¨	Im Obstladen: 3 Birnen kosten 1,40 €.
	• das Obst (Sg.)	Sie möchten Obst kaufen: 3 Birnen, 2 Äpfel.
	• das Gemüse, -	Sie möchten Gemüse kaufen: 1 Kilo Lauch, 1 Pfund Spinat.
	• die Bäckerei, -en	In der Bäckerei: Ein Brötchen kostet 0,30 €.

E3 • das Rezept, -e .... Teigtaschen: internationale Rezepte

für .... Hier ist mein Rezept für „Schwäbische Maultaschen“.

• das Wasser (Sg.) .... Sie brauchen nur 100 ml Wasser.

• der Pfeffer (Sg.) .... Sie brauchen Salz und Pfeffer.

> **TiPP**
> Lernen Sie immer so:
> *ein Apfel – Äpfel*
> *ein Ei – Eier*

Lebensmittel

• die Schokolade (Sg.)

• die Banane, -n

• die Butter (Sg.)

• das Ei, -er

• die Milch (Sg.)

• das Brot, -e

• der Fisch, -e

• das Fleisch (Sg.)

• der Käse (Sg.)

• der Apfel, ¨

• die Birne, -n

• das Brötchen, -

• der Kuchen,

• die Orange, -n

• der Saft, ¨e

• der/• das Joghurt, -s

• die Kartoffel, -n

• die Zwiebel, -n

• die Tomate, -n

• das Mineralwasser (Sg.)

4 Meine Wohnung

FOTO-HÖRGESCHICHTE

1	• die Wohnung, -en	Sie sind in Laras Wohnung.
	• die Lampe, -n	Walter hat eine Lampe für Lara.
	• das Zimmer, -	Das ist Laras Zimmer.
	• die Küche, -n	Das ist die Küche.
	• das Bad, ¨-er	Das ist das Bad.
	alt	Die Lampe ist alt.
	neu	Die Lampe ist neu.
	groß	Das Bad ist groß.
	klein	Das Bad ist klein.
	hell	Laras Zimmer ist hell.
	dunkel	Laras Zimmer ist dunkel.
	teuer	Das Zimmer ist teuer.
	billig	Das Zimmer ist billig.
	schön	Die Küche ist schön.
	hässlich	Die Küche ist hässlich.
3	kennen	Walter kennt Tim.

A

A1	• der Flur, -e	Der Flur ist groß.
	• die Toilette, -n	Die Toilette ist klein
	• der Balkon, -e	Der Balkon ist schön.
	• das Wohnzimmer, -	Das Wohnzimmer ist hell.
	der, das, die	• der Flur, • das Bad, • die Küche
A2	• das Haus, ¨-er	Das ist das Haus.
	hier	Hier ist der Flur.
	dort	Das Arbeitszimmer ist dort.

B

B1	aber	Das Zimmer ist sehr schön, aber es ist teuer.
	nicht	Das Zimmer ist nicht teuer.
	• der Monat, -e	Mein Zimmer kostet 350 Euro im Monat.

B3	schmal		Mein Haus ist sehr schmal.
	richtig		Ja, richtig.
	breit		Die Straße ist breit.

C

C1	• der Schrank, ¨-e		Hier ist noch ein Schrank.
	• der Kühlschrank, ¨-e		Was kostet der Kühlschrank?
	• das Sofa, -s		Was kostet das Sofa?
	• der Tisch, -e		Der Tisch ist sehr groß.
	• der Stuhl, ¨-e		Hier sind Stühle.
	• das Bett, -en		Wo sind denn die Betten?
	• der Fernseher, -		Wie viel kostet der Fernseher?
	• die Dusche, -n		In der Wohnung ist ein Bad mit Dusche.
	• der Herd, -e		Hier ist der Herd.
	• die Badewanne, -n		In der Wohnung ist ein Bad mit Badewanne.
	• der Teppich, -e		Der Teppich ist schön.
	• der Sessel, -		Der Sessel ist schön.
	• die Möbel (Pl.)		Die Möbel sind sehr schön.
	• das Gerät, -e		Elektrogeräte: Kühlschrank, Fernseher, Lampe ...
C2	gefallen		Wie gefallen Ihnen die Stühle?
	• die Farbe, -n		Die Farbe ist sehr schön.
	finden		Das finde ich auch.
	ganz		Wie gefällt dir die Lampe dort? – Ganz gut.
	modern		Die Lampe ist sehr modern!
C3	schwarz		Meine Stühle sind schwarz.
	grau		Mein Kühlschrank ist grau.
	weiß		Mein Kühlschrank ist weiß.
	grün		Die Lampe ist grün.
	braun		Meine Stühle sind braun.
	blau		Mein Kühlschrank ist blau.
	rot		Mein Kühlschrank ist rot.
	gelb		Der Teppich ist gelb.
	hell- *(+ Farbe)*		Mein Kühlschrank ist hellrot.
	dunkel- *(+ Farbe)*		Mein Kühlschrank ist dunkelrot.

Farben

D

D2	• der Zentimeter (cm), -		Ungefähr 60 Zentimeter breit.
	mal		Das Kinderbett ist 60 mal 120 Zentimeter groß.
D3	• das Handy, -s		Meine Handynummer ist: 0163/235621147.
	• die Arbeit (Sg.)		Meine Nummer bei der Arbeit ist: ...
D4	• die Anzeige, -n		Hallo Maria, in der Zeitung sind heute Anzeigen.
	nett		Nettes Ehepaar mit Kind.
	• das Ehepaar, -e		Nettes Ehepaar mit Kind.
	suchen		Sie suchen ein Zimmer.
	• der Garten, ¨		Ehepaar mit Kind sucht eine 3-4-Zimmer-Wohnung mit Garten.
	vermieten		Vermiete Apartment, 36 m².
	• das Apartment, -s		Das Apartment kostet 440 Euro im Monat.
	• der Raum, ¨e		Der Wohnraum ist groß, 36 qm.
	• der Stock (Sg.)		Ich suche eine Wohnung im 1. Stock.
	circa (ca.)		3-Zimmer-Wohnung, ca. 60 m².
	privat		Von privat: helle 4-Zimmer-Wohnung.

	ab		Ich suche ab sofort eine 2-Zimmer-Wohnung.
	sofort		Ich suche ab sofort eine 2-Zimmer-Wohnung.
	maximal (max.)		2-Zimmer-Wohnung mit Balkon bis maximal 750 Euro.
	• der Anruf, -e		Ich freue mich auf Ihren Anruf.
	möbliert		Das Zimmer ist möbliert.
	• das TV, -s		Schöne möblierte 1-Zi.-Wohnung mit Balkon und TV.
	• die Garage, -n		Sie möchten eine Wohnung mit Garage.
	• der Quadratmeter (m^2/qm), -		Das Zimmer ist 21 m^2 groß.
	nur		Sie möchten nur 400 bis 500 Euro Miete bezahlen.
	• die Miete, -n		Sie möchten nur 400 bis 500 Euro Miete bezahlen.
	bezahlen		Sie möchten nur 400 bis 500 Euro Miete bezahlen.

E

E1	verkaufen		Was verkauft er?
	etwas		Wer verkauft etwas?
	• der Computer, -		Sie verkauft einen Computertisch.
	• der Schreibtisch, -e		Er verkauft einen Schreibtisch.
E2	heute		Sind Sie heute Abend zu Hause?
	Welche ...?		Welche Farbe hat der Tisch?
	also		Also, der Tisch ist dunkelbraun.
	ungefähr		Der Tisch ist ungefähr 60 cm breit.
	• der Meter (m), -		Ungefähr zwei Meter lang.
	lang		Ungefähr zwei Meter lang.
	genau		Hm ... Wie lang ist er denn genau?
	sehen		Ich möchte den Tisch gern sehen.
E3	hoch		Der Kühlschrank ist 85 Zentimeter hoch.
	morgen		Sind Sie morgen zu Hause?

TIPP

Schreiben Sie Wörter auf Zettel und hängen Sie die Zettel in der Wohnung auf.

• der Herd

Möbel

5 Mein Tag

FOTO-HÖRGESCHICHTE

1	machen	....	Lara macht eine Präsentation.
	• die Präsentation, -en	....	Lara macht eine Präsentation.
2	frühstücken	....	Lara, Sofia und Lili frühstücken zusammen.
	einkaufen 	....	Lara kauft ein.
	hören	....	Lara hört Musik.
	kochen	....	Lara kocht das Abendessen.
	spazieren gehen	....	Lara geht spazieren.
	aufräumen	....	Lara räumt die Küche auf.
	aufstehen	....	Lara steht um Viertel nach sieben auf.
3	gehen	....	Lara geht zum Deutschkurs.
	oder	....	Lara geht am Nachmittag spazieren oder kauft ein.
	müde	....	Sofia ist am Abend müde.
	anrufen	....	Lara ruft ihre Familie an.

	A		
A1	früh		Lara steht früh auf.
	• der Supermarkt, ¨-e		Sie kauft im Supermarkt ein.
	fernsehen		Sie sieht fern.
A2	mit		Sie frühstückt mit Lara und Lili.
	arbeiten		Sofia arbeitet sehr viel und ist am Abend müde.
	lange		Sie arbeitet lange.
	spielen		Sie spielt mit Lili.
	essen		Sofia isst mit Lara und Lili.
A3	gern		Stehst du gern früh auf?
	B		
B1	spät		Wie spät ist es jetzt?
	schon		Ist es schon zwölf?
	erst		Es ist erst elf.
	• das Viertel, -		Es ist Viertel vor zwölf.
	vor		Es ist Viertel vor zwölf.
	nach		Es ist Viertel nach eins.
	halb		Es ist halb zwei.
	• die Uhr, -en		Es ist ein Uhr.
B3	kurz		Es ist kurz vor zwölf.
	gleich		Es ist gleich zwölf.
	C		
C1	• der Intensivkurs, -e		Ich mache einen Intensivkurs.
	anfangen		Der Deutschkurs fängt morgen an.
	am		Ich mache am Freitag einen Intensivkurs.
	• der Montag, -e		Fangen die Kurse am Montag an?
	• der Freitag, -e		Was machst du am Freitag?
	• der Donnerstag, -e		Was machst du am Donnerstag?
	• der Mittwoch, -e		Was macht Tim am Mittwoch?
	• der Dienstag, -e		Nein, erst am Dienstag.
	wann		Wann fängt der Deutschkurs an?
	um		Um halb neun.

Lernwortschatz

	enden		Wann endet der Kurs?
	von ... bis ...		Der Kurs ist von neun bis zwölf.
C2	• die Party, -s		Ich mache am Freitag eine Party.
	• die Zeit (Sg.)		Hast du Zeit?
	• der Fußball (Sg.)		Ich spiele Fußball.
	• der Samstag, -e		Heute ist Samstag.
	• der Sonntag, -e		Am Sonntag?
C3	• die Hausaufgabe, -n		Sina macht Hausaufgaben.
	• die Mama, -s		Wann ruft Tim Mama an?
	schlafen		He, Lisa, schläfst du schon?
C4	• das Wochenende, -n		Julia steht am Wochenende früh auf.
	nächst-		Der Terminkalender für nächste Woche: ...
	• die Woche, -n		Der Terminkalender für nächste Woche: ...

D

D1	• der Mittag, -e		Am Mittag isst er mit Nina.
	• der Morgen, -		Am Morgen frühstückt Robert.
	• der Abend, -e		Am Abend spielt er Fußball.
	• der Nachmittag, -e		Am Nachmittag macht er Sport.
	• der Vormittag, -e		Am Vormittag räumt er auf.
	• die Nacht, ¨-e		In der Nacht geht er spazieren.
D2	• das Kino, -s		Am Abend geht er ins Kino.
	• der Sport (Sg.)		Am Nachmittag macht Robert Sport.
	trinken		Er trinkt nur Kaffee.
	• die Pizza, Pizzen		Er isst eine Pizza.
	chatten		In der Nacht chattet Robert.

E

E1	geöffnet		Bis 17 Uhr geöffnet.
	• der Termin, -e		Der Termin ist um 17 Uhr.
	• der Kindergarten, ¨		Der Kindergarten ist bis 17 Uhr geöffnet.
	• das Geschäft, -e		Am Samstag ist das Geschäft von 8 Uhr 30 bis 13 Uhr geöffnet.

	• die Bibliothek, -en		Die Bibliothek ist von Montag bis Freitag geöffnet.
	geschlossen		An gesetzlichen Feiertagen ist die Bibliothek geschlossen.
	öffnen		Die Bibliothek öffnet von Montag bis Freitag um 13 Uhr.
	schließen		Die Praxis schließt um 16 Uhr 30.
	• die Praxis, -en		Die Praxis schließt um 16 Uhr 30.
E2	• der Tag, -e		Ich habe die Kinder am Wochenende den ganzen Tag.
	jed-		Ich habe die Kinder jeden Morgen und jeden Abend.
	• die Kita (Kindertagestätte), -s		Tom und Luka gehen in die Kita.
	bringen		Um 07.15 Uhr bringt Vera die Kinder in die Kita.
	abholen		Um 17 Uhr holt sie die Kinder ab.
	mehr		Ich hätte gern mehr Zeit für mich.
	• das Beispiel, -e		Zum Beispiel möchte ich mal wieder ins Kino gehen.
	zum Beispiel (z. B.)		Zum Beispiel möchte ich mal wieder ins Kino gehen.
	wieder		Zum Beispiel möchte ich mal wieder ins Kino gehen.
	• der Freund, -e / • die Freundin, -nen		Meine Freundinnen fragen: „Wann hast du denn mal Zeit, Vera?“
	fragen		Meine Freundinnen fragen: „Wann hast du denn mal Zeit, Vera?“
	antworten		Und ich antworte: „Heute nicht.“
	total		Tut mir leid, ich bin total fertig.

TIPP

Lernen Sie Wörter als Reihe.

Montag
Dienstag
Mittwoch
...

Wochentage

Montag	Dienstag	Mittwoch	Donnerstag	Freitag	Samstag	Sonntag

Lernwortschatz

Alltagsaktivitäten

einkaufen

spielen

arbeiten

aufräumen

fernsehen

aufstehen

anrufen

kochen

6 Freizeit

FOTO-HÖRGESCHICHTE

1	• der Ausflug, ¨-e	....	Familie Baumann und Lara machen einen Ausflug.
	• das Auto, -s	....	Sofia fährt gern Auto.
	wandern	....	Ich wandere sehr gern.
	• das Picknick, -s 	....	Lili hat Hunger und sie machen ein Picknick.
	• die Gitarre, -n	....	Walter spielt Gitarre.
	telefonieren	....	Tim telefoniert.
	• das Wetter (Sg.)	....	Das Wetter ist nicht so gut.
	• die Sonne (Sg.)	....	Die Sonne scheint.
	scheinen	....	Die Sonne scheint.
	regnen	....	Es regnet.
	viel-	....	Es gibt viele Wolken.
	• die Wolke, -n 	....	Es gibt viele Wolken.
3	los (losgehen)	....	Sie gehen los.
	vergessen	....	Sofia vergisst die Dose.
	• der Durst (Sg.)	....	Hast du keinen Durst?

A

A1	• das Grad (Sg.)		Es sind 25 Grad.
	warm		Es ist warm.
	windig		Es ist windig.
	kalt		Es ist kalt.
	schneien		Es schneit.
	bewölkt		Es ist bewölkt.
A2	• der Wetterbericht, -e		Hier kommt der Wetterbericht für morgen.
	• die Mitte (Sg.)		In der Mitte Deutschlands scheint heute überall die Sonne.
	überall		In der Mitte Deutschlands scheint heute überall die Sonne.
	• die Temperatur, -en		Die Temperaturen: bis zu 20 Grad.
	steigen		Die Temperaturen steigen auf bis zu 20 Grad an der Küste.
	sonnig		Es ist sonnig und warm.
	leicht		Nur im Osten ist es leicht bewölkt.
	bleiben		Auch morgen bleibt es warm.
	• der Regen (Sg.)		Ich finde Regen gut.
	• der Schnee (Sg.)		Ich mag Schnee.
	plus		Es sind plus fünf Grad.
	minus		Es ist minus ein Grad.
	• das Radio, -s		Im Radio kommt der Wetterbericht für morgen.
	• das Internet (Sg.)		Der Wetterbericht im Internet: www.europawetter-heute.de
A3	• der Sommer, -		Im Sommer ist das Wetter sehr gut.
	heiß		Es ist heiß und es sind circa 30 Grad.
	• der Frühling, -e		Im Frühling ist das Wetter oft schön.
	• der Herbst, -e		Im Herbst regnet es viel.
	schlecht		Am Nachmittag ist das Wetter schlecht.
	• der Winter, -		Im Winter ist es kalt.

Lernwortschatz

A4	● der Wind, -e		Ich finde Wind gut.
	angenehm		Wind ist angenehm.
	B		
B3	● die Speisekarte, -n		Wo ist die Speisekarte?
	● der Hamburger, -		Also, ich möchte einen Hamburger.
	● die Speise, -n		kleine Speisen: Hamburger, Currywurst, ...
	● die Pommes frites (Pommes) (Pl.)		Ich möchte bitte Pommes und eine Currywurst.
	● die Portion, -en		Ich möchte eine Portion Pommes.
	● der/● das Ketchup, -s		Ich möchte bitte Pommes mit Ketchup.
	● der Salat, -e		Ich möchte einen Salat.
	● der Schinken,-		Ich möchte einen Salat mit Schinken und Ei.
	● das Getränk, -e		Papa kauft die Getränke.
	● die Cola, -s		Ich möchte eine Cola.
	C		
C1	doch		Haben wir den Käse nicht dabei? – Doch.
	lieber		Aber ich möchte lieber Käse.
C2	nehmen		Nimmst du keine Wurst?
	warum		Warum nicht?
C3	● der Hund, -e		Hast du einen Hund?
	● das Eis (Sg.)		Ich möchte ein Eis.
	D		
D1	tanzen		Ich tanze gern.
	schwimmen		Ich schwimme viel.
	treffen		Und ich treffe gern meine Freunde.
	● das Fahrrad, ¨-er		Ich finde Fahrrad fahren super.
	fahren		Im Sommer mache ich gern Sport: Wandern und Fahrrad fahren.
	grillen		Im Sommer grille ich gern.
D2	● die Freizeit (Sg.)		Was machst du gern in der Freizeit?
	● das Hobby, -s		Was sind deine Hobbys?

	lesen		Ich lese gern.
	• der Krimi, -s		Ich finde Krimis gut.
D3	Lieblings-		Mein Lieblingsfilm ist der James-Bond-Film Skyfall.
	• der Film, -e		Mein Lieblingsfilm ist der James-Bond-Film Skyfall.
	wichtig		Das ist wichtig: meine Familie.
	• der Grill, -s		Das ist wichtig: gute Grillwürstchen.

E

E1	sammeln		Alma sammelt Wolkenfotos.
	• der Beruf, -e		Was ist dein Beruf?
	• das Foto, -s		Das Foto gefällt mir sehr.
	besonder-/besonders		Wolken gefallen mir besonders gut.
	fotografieren		Ich finde Wolken schön und ich fotografiere gern.
	• der Spaß (Sg.)		Das macht Spaß.
	• das Smartphone, -s		Ich brauche nur mein Smartphone.
	dumm		Oh, wie dumm!
	oft		Spielst du oft?
	meinen		Du meinst das Würfelspiel?
	• der Würfel, -		Du meinst das Würfelspiel?
	• das Spiel, -e		Hast du kein Backgammon-Spiel?
	leider		Aber da gibt es leider ein Problem.
	• das Problem, -e		Aber da gibt es leider ein Problem.
	immer		Das Backgammon-Spiel habe ich immer mit dabei.
	vielleicht		Oder vielleicht doch?
	einfach		Ach, das ist ganz einfach.
	schnell		Das lernst du schnell.

TIPP
Beschreiben Sie Wörter.

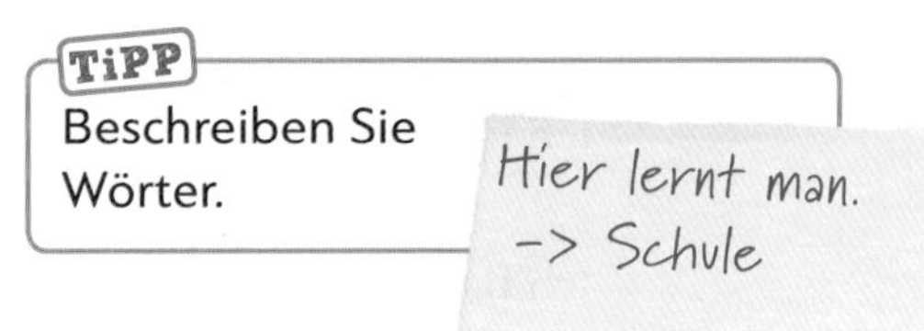

Wetter

• die Sonne / Es ist sonnig.

• der Regen / Es regnet.

• die Wolke, -n / Es ist bewölkt.

• der Schnee / Es schneit.

• der Wind / Es ist windig.

Es ist kalt.

Es ist warm.

7 Kinder und Schule

FOTO-HÖRGESCHICHTE

1	prima	....	Wir sind ein prima Team!
	• das Team, -s	....	Wir sind ein prima Team!
	wecken	....	Weckst du Lili?
	• das Frühstück, -e	....	Das Frühstück ist fertig!
	fertig (sein)	....	Das Frühstück ist fertig!
	los sein	....	Was ist los?
	schreiben	....	Ihr schreibt also einen Mathetest.
	• die Mathematik (Mathe) (Sg.)	....	Lara lernt mit Lili Mathe.
	• der Test, -s	....	Lili schreibt einen Test.
	pünktlich	....	Pünktlich um Viertel nach zehn.
	auf keinen/jeden Fall	....	Sie will auf jeden Fall noch zum Deutschkurs gehen.
	schmecken	....	Das schmeckt so lecker!

3	nach Hause		Am Nachmittag kommt Lili nach Hause.
	• die Schule, -e		Lili geht in die Schule.

A

A1	können		Kannst du Lili wecken?
A2	krank		Ich bin krank.
	• der Arzt, ¨e / • die Ärztin, -nen		Kannst du mit Jonas zum Arzt gehen?
A3	backen		Luisa kann gut Kuchen backen.
	singen		Ich kann gar nicht singen.
	reiten		Ich kann sehr gut reiten.
	• das Klavier, -e		Kannst du gut Klavier spielen?
	malen		Alba malt.
	• der Ski, -er		Kannst du gut Ski fahren?
	• das Tennis (spielen) (Sg.)		Kannst du gut Tennis spielen?

B

B1	wollen		Ich will nicht zu spät kommen.
	endlich		Willst du nicht endlich aufstehen?
B3	• das Lied, -er		Ich will Lieder singen.
	üben		Ich will viel Grammatik üben.
	• der Text, -e		Ich will viele Texte lesen.
	• die Übung, -en		Ich will viele Übungen machen.
	• der Brief, -e		Ich will Briefe schreiben.
	• das Diktat, -e		Ich will kein Diktat schreiben.

C

C4	• das Buch, ¨er		Ich habe ein Buch gelesen.

Lernwortschatz

D

D2	schade		Ich habe heute keine Zeit. – Schade!
D3	• der Kilometer, -		Bist du schon einmal 100 Kilometer Fahrrad gefahren?

E

E1	• die Kommunikation (Sg.)		Sprechen = Kommunikation
	lieb-		Liebe Eltern ...,
	• das Mädchen, -		Die Mädchen und Jungen machen einen Ausflug.
	• der Junge, -n		Die Mädchen und Jungen machen einen Ausflug.
	• die Klasse, -n		Mein Sohn Tobias geht in die Klasse von Frau Meikert.
	• das Schwimmbad, ¨-er		Die Lehrerin will mit den Kindern ins Schwimmbad fahren.
	• der Eintritt (Sg.)		Der Eintritt kostet 7,50 Euro.
	losfahren		Wir fahren um 8 Uhr los.
	zurückkommen		Wir kommen um 14 Uhr zurück.
	• die Grundschule, -n		Mein Sohn geht in die Grundschule.
E3	mitkommen		Jonas kann heute zum Ausflug mitkommen.
E4	• der Unterricht (Sg.)		Ich kann heute nicht zum Unterricht kommen.
	leidtun		Oh, das tut mir leid.

TIPP

Lernen Sie Wörter zusammen.

Gitarre spielen
Fahrrad fahren

Hobbys/Freizeitaktivitäten

tanzen

Gitarre spielen

wandern

Fahrrad fahren

grillen

schwimmen

Freunde treffen

backen

malen

Ski fahren

Tennis spielen

Grammatikübersicht

Nomen

Singular und Plural Lektion 3

Singular	Plural
● ein Apfel	● Äpfel
● ein Kuchen	● Kuchen
● ein Brot	● Brote
● ein Ei	● Eier
● eine Banane	● Bananen
● eine Kiwi	● Kiwis

ÜG 1.02

Artikelwörter und Pronomen

Possessivartikel: *mein/e, dein/e, Ihr/e* Lektion 2

maskulin	neutral	feminin	Plural
● mein Bruder	● mein Kind	● meine Tochter	● meine Kinder
● dein Bruder	● dein Kind	● deine Tochter	● deine Kinder
● Ihr Bruder	● Ihr Kind	● Ihre Tochter	● Ihre Kinder

ÜG 2.04

Personalpronomen: *er/es/sie* Lektion 4

		Personalpronomen
	Wo ist ...	
	● der Balkon?	Er ist dort.
Singular	● das Bad?	Es ist dort.
	● die Küche?	Sie ist dort.
	Wo sind ...	
Plural	● die Kinder-zimmer?	Sie sind dort.

ÜG 3.01

Definiter Artikel Lektion 4, 6

	Nominativ	Akkusativ
	Wo ist/sind ...	Ich habe ...
	● der Saft?	● den Saft.
Singular	● das Würstchen?	● das Würstchen.
	● die Cola?	● die Cola.
Plural	● die Salate?	● die Salate.

ÜG 2.01, 2.02

Indefiniter Artikel Lektion 3, 6

	Nominativ	Akkusativ
	Ist/Sind das ...	Ich möchte ...
	● ein Saft?	● ein**en** Saft.
Singular	● ein Würstchen?	● ein Würstchen.
	● eine Cola?	● eine Cola.
Plural	● Salate?	● Salate.

ÜG 2.01, 2.02

Negativartikel Lektion 3, 6

	Nominativ	Akkusativ
	Das ist/sind ...	Ich habe ...
	● kein Saft.	● kein**en** Saft.
Singular	● kein Würstchen.	● kein Würstchen.
	● keine Cola.	● keine Cola.
Plural	● keine Salate.	● keine Salate.

ÜG 2.03

Verben

Konjugation Lektion 1, 2, 5, 6

	leben*	heißen	arbeiten
ich	lebe	heiße	arbeite
du	lebst	heißt	arbeitest
er/es/sie	lebt	heißt	arbeitet
wir	leben	heißen	arbeiten
ihr	lebt	heißt	arbeitet
sie/Sie	leben	heißen	arbeiten

*auch so: *wohnen, lernen, kommen ...*

ÜG 5.01

	sein	haben
ich	bin	habe
du	bist	hast
er/es/sie	ist	hat
wir	sind	haben
ihr	seid	habt
sie/Sie	sind	haben

ÜG 5.01

	sprechen	schlafen	lesen	nehmen
ich	spreche	schlafe	lese	nehme
du	sprichst	schläfst	liest	nimmst
er/es/sie	spricht	schläft	liest	nimmt
wir	sprechen	schlafen	lesen	nehmen
ihr	sprecht	schlaft	lest	nehmt
sie/Sie	sprechen	schlafen	lesen	nehmen

auch so: *essen, treffen, fahren ...*

ÜG 5.01

Trennbare Verben Lektion 5

auf/räumen	→	Ich räume auf.
auf/stehen	→	Lara steht auf.
ein/kaufen	→	Lara kauft ein.

auch so: *anrufen, fernsehen, anfangen, abholen*

ÜG 5.02

Modalverben: *„möchte“, können* und *wollen* Lektion 3, 7

	„möchte“	können	wollen
ich	möchte	**kann**	**will**
du	möchtest	kannst	willst
er/es/sie	möchte	**kann**	**will**
wir	möchten	können	wollen
ihr	möchtet	könnt	wollt
sie/Sie	möchten	können	wollen

ÜG 5.09, 5.10

Perfekt mit *haben* Lektion 7

		haben + ge...t
lernen	er lernt	er hat gelernt
machen	er macht	er hat gemacht
spielen	er spielt	er hat gespielt
kaufen	er kauft	er hat gekauft

		haben + ge...en
treffen	er trifft	er hat getroffen
trinken	er trinkt	er hat getrunken
sprechen	er spricht	er hat gesprochen
schreiben	er schreibt	er hat geschrieben

ÜG 5.03

Perfekt mit *sein* Lektion 7

		sein + ge...en (• → •)
gehen	er geht	er ist gegangen
fahren	er fährt	er ist gefahren
kommen	er kommt	er ist gekommen

ÜG 5.04

Präpositionen

Temporale Präpositionen Lektion 5

Wann gehen Sie zum Deutschkurs?		
am Vormittag *aber:* in der Nacht	→	Tageszeit
am Montag von Montag bis Freitag	→	Tag
um zehn (Uhr) um Viertel vor/nach acht von neun bis fünf (Uhr)	→	Uhrzeit

ÜG 6.01

Negation

kein/keine Lektion 3

Sie haben keine Möbel.

ÜG 2.03, 9.01

nicht Lektion 4

Der Stuhl ist nicht schön.
Walter wohnt nicht hier.

ÜG 9.01

Sätze

Aussage Lektion 1

	Position 2	
Mein Name	ist	Walter Baumann.
Ich	bin	Lili.
Ich	komme	aus Deutschland.
Sie	sprechen	gut Deutsch.

ÜG 10.01

Verb: Position im Hauptsatz Lektion 5

	Position 2	
Robert	macht	*am Nachmittag* Sport.
Am Nachmittag	macht	Robert Sport.

ÜG 10.01

W-Frage Lektion 1

	Position 2	
Wer	ist	das?
Wie	heißen	Sie?
Woher	kommen	Sie?
Was	sprechen	Sie?

ÜG 10.03

Ja-/Nein-Frage Lektion 3

Frage			Antwort
Position 1			
Haben	wir	Zucker?	Ja.
Brauchst	du	Reis?	Nein.

ÜG 10.03

Ja-/Nein-Frage und W-Frage Lektion 3

Frage			Antwort
	Position 2		
Was	brauchen	Sie?	Eier.
Brauchen	Sie	Salz?	Ja./Nein.

ÜG 10.03

Ja-/Nein-Frage: *ja – nein – doch* Lektion 6

Frage	Antwort	
Möchtest du ein Würstchen?	Ja.	Nein.
Haben wir den Käse nicht dabei?	Doch.	Nein.
Hast du keinen Hunger mehr?	Doch.	Nein.

ÜG 10.03

Trennbare Verben im Satz Lektion 5

	Position 2		Ende
Ich	räume	mein Zimmer	auf.
Lara	steht	früh	auf.
Lara	kauft	im Supermarkt	ein.
Stehst	du	gern früh	auf?

ÜG 10.02

Modalverben im Satz Lektion 7

	Position 2		Ende
Ich	kann	nicht zum Deutschkurs	gehen.
Sie	will	nicht zu spät	kommen.
Kannst	du	im Supermarkt	einkaufen?

ÜG 10.02

Perfekt im Satz Lektion 7

	Position 2		Ende
Lara	hat	Tee	gemacht.
Ich	bin	spazieren	gegangen.
Bist	du	pünktlich	gekommen?

ÜG 10.02

Lösungen zu den Tests

Lektion 1

1 **b** Guten Morgen **c** Guten Abend **d** Auf Wiedersehen **e** Tschüs **f** Gute Nacht
2 **a** Vorname **b** Familienname **c** Straße **d** Hausnummer **f** Stadt **g** Land **h** Telefon **i** E-Mail
3 **b** Woher **c** was **d** Wer
4 **a** 2 heißt 3 heiße 4 komme 5 sprichst 6 spreche **b** 7 ist 8 heißen 9 bin 10 ist
5 **a** Entschuldigung **b** Ich buchstabiere **c** danke **d** Einen Moment **e** Tut mir leid

Lektion 2

1 **a** Mutter **b** Bruder, Schwester **c** Sohn, Tochter **d** Opa, Oma
2 **b** neun **c** sechzehn **d** dreizehn **e** elf **f** zwanzig
3 **b** geboren **c** Hauptstadt **d** Familie **e** verheiratet
4 **a** Ihre, Sie **b** mein, dein, Er **c** Deine, sie
5 kommen, leben, sprechen, spricht, seid, Habt, bin, habe, ist, hat
6 **a** 2 Und (wie geht es) dir 3 Wie geht es Ihnen / Wie geht's
b 4 wo wohnen Sie 5 Wie ist Ihre Adresse

Lektion 3

1 **a** Kartoffeln **b** Becher Joghurt **c** Flaschen Mineralwasser
2 **b** Kaufst du bitte Brot **c** Was möchten Sie **d** Brauchen wir Orangen **e** Was brauchen wir
3 **b** keine **c** ein, eine, keine, ein, kein, eine
4 **b** Kuchen **c** Würstchen **d** Kiwis **e** Eier **f** Brote
5 **b** Was kosten **c** 100 Gramm Wurst **d** ich brauche noch Hackfleisch **e** Ein Pfund, bitte **f** das ist alles

Lektion 4

1 **b** alt **c** hässlich **d** schmal **e** dunkel **f** groß
2 **Wohnung**: das Kinderzimmer
Möbel: der Schreibtisch, der Sessel
Elektrogeräte: der Kühlschrank, die Lampe
3 **b** die Kinderzimmer **c** die Schreibtische **d** die Sessel **e** die Kühlschränke **f** die Lampen
4 **b** Er **c** Es **d** sie **e** Sie
5 **b** nicht, keine **c** keine
6 **a** Sie verkaufen ein Bett, richtig **b** Welche Farbe hat es **d** Ich möchte das Bett gern sehen

Lektion 5

1 **b** der Mittag **c** der Abend **d** die Nacht
2 **privat**: **b** Viertel vor zwölf **c** halb acht **d** kurz vor elf **e** fünf vor halb neun
offiziell: **a** dreizehn Uhr zwanzig **b** elf Uhr fünfundvierzig **c** neunzehn Uhr dreißig **d** zehn Uhr siebenundfünfzig **e** zwanzig Uhr fünfundzwanzig
3 **b** frühstückt, räumt ... auf **c** arbeitet **d** isst, schläft
4 **b** Von ... bis **c** von ... bis **d** Am
5 **a** Hast du am Freitag Zeit **c** da habe ich Zeit **d** Ich koche nicht gern **e** Ich gehe gern ins Kino **f** Um wie viel Uhr

Lektion 6

1 **a** Wetter **b** Wolken **c** Süden **d** Sonne **e** regnet **g** Sommer
2 **b** wandert **c** fährt Fahrrad **d** tanzt **e** spielt Fußball
3 **b** keinen, keine **c** einen, ein **d** eine
4 **a** den, Im **b** Im **c** Der, Im
5 **b** Doch **c** Ja **d** Nein
6 **b** Was sind deine Hobbys **c** Gefallen dir Krimis **d** Was machst du in der Freizeit

Lektion 7

1 **b** Diktate schreiben **c** schlafen **d** kochen **e** der Arzt
2 **a** wollen **c** kann **d** kannst **e** wollt **f** wollen
3 **b** habe ... geschlafen **c** habe ... gefrühstückt **d** bin ... gefahren **e** haben ... gespielt
4 **b** Ich habe lange keinen Ausflug gemacht **c** Was möchtest du machen **d** Wir können Fahrrad fahren **e** Wann wollen wir losfahren
5 **b** bin krank **c** tut mir leid **d** sage es Frau Beck **e** Gute Besserung

Quellenverzeichnis

Kursbuch

Cover: Bernhard Haselbeck, München S. 13: B4: A © Glow Images/uwe kraft; B © iStock/EdStock; C © Thinkstock/Getty Images; D © Glow Images/MICHAEL KOLVENBACH S. 15: C4 links: Florian Bachmeier, Schliersee S. 16: D3: Frau © Thinkstock/iStockphoto/nyul; Mann © Thinkstock/Wavebreakmedia S. 17: E1: Stiefel © Thinkstock/iStock/Nataliya Kalabina; Hygieia Symbol © Thinkstock/iStock/Kreatiw; E2 © iStockphoto/krie S. 19: © Thinkstock/Wavebreakmedia S. 20: ANNA: Kraus Film, München S. 21: Ü1: Minga Media Entertainment GmbH, München; Ü2.1 © Digital Wisdom S. 22: Ben: Franz Specht, Weßling; Familie © Thinkstock/iStock/Andrea McLean S. 23: Paar © fotolia/goodluz; Ben: Franz Specht, Weßling; Familie © Thinkstock/iStock/Andrea McLean S. 25: Luise © Thinkstock/Stockbyte/Jupiterimages; Tobias © Thinkstock/Banana Stock S. 26: Familie © Thinkstock/iStock/Andrea McLean; Cheng © iStockphoto/bo1982; Navid © Thinkstock/iStock/XiXinXing; Owusu © Thinkstock/Photodisc/Ryan McVay S. 28: Karte © Digital Wisdom; Windrose © fotolia/Ruediger Rau; Hamburg © PantherMedia/Jutta Glatz; Berlin © fotolia/Sliver; Wien © fotolia/Pfluegl; Zürich © Thinkstock/iStock/elxeneize; Fahne CH © Thinkstock/Wavebreak Media; Fahnen D, A © Thinkstock/Hemera S. 29: A © Thinkstock/Hemera; B © Thinkstock/Stockbyte/Jupiterimages; C © fotolia/Yuri Arcurs; D © Thinkstock/iStock/Dmitry Maslov S. 31: © PantherMedia/Jutta Glatz S. 32: Esila: Kraus Film, München S. 36: A4 Notizzettel © Thinkstock/iStock/Peshkova S. 37: Tomate © fotolia/Zbigniew Kosmal; Orange © Thinkstock/iStock/Nomadsoul1; Birne © Thinkstock/iStock/nitrub; Brot © Thinkstock/iStock/red2000; Ei © Thinkstock/iStock/GooDween123; Bananen © Bildunion/Martina Berg S. 38: Bananen © Thinkstock/iStock/Анна Курзаева; Illu Zwiebel © Thinkstock/iStock/AlenaRozova S. 39: Illu Korb © Thinkstock/iStock/iLexx; Brot © Thinkstock/iStock/Gitanna; Milch © fotolia/seen; Wurst © Thinkstock/iStock/aarrows; Käse © fotolia/Elena Schweitzer; Orangen © Thinkstock/iStock/Peter Zijlstra; Kuchen © Thinkstock/iStock/Inga Nielsen; Dose © Thinkstock/iStock/Lightstar59; Eier © Thinkstock/iStock/LeventKonuk; Saft © fotolia/Apart Foto; Tee © Thinkstock/iStock/Александр Перепелица; Sahne © fotolia/Fotofermer; Hackfleisch © Thinkstock/iStock/Reinhold Tscherwitschke; Kaffee © Thinkstock/Hemera; Schokolade © Thinkstock/iStock/kuppa_rock; Butter © fotolia/seite3; Reis © Thinkstock/iStock/NLAURIA; Wasser © Thinkstock/iStock/Hyrma S. 40: E1 © PantherMedia/Peter Bernik; E2b: Obst © Thinkstock/iStock/Amornism; Kuchen © Thinkstock/iStock/kanate; Fleisch © Thinkstock/iStock/milkal S. 41: Rudi © MEV; Maultaschen © Thinkstock/iStock/Holger Muench; Lian © Thinkstock/iStock/naran; Jiaozi © fotolia/Maksim Shebeko; Oleg © Thinkstock/iStock/Daniel Ernst; Pelmeni © Thinkstock/iStock/Magone; Günay © Thinkstock/iStock/tolgaildun; Manti © PantherMedia/Gorkem Demir; Chinkali © fotolia/dimitripopov S. 43: Kuchen © Thinkstock/iStock/Inga Nielsen S. 44: Gemüse © Thinkstock/iStock; Kartoffelsalat: Kraus Film, München S. 45: Tortilla © Thinkstock/iStock/Ramonespelt; Zwiebel © Thinkstock/iStock/AlenaRozova; Salzstreuer © Thinkstock/iStock/perysty S. 50: 1 © iStockphoto/domin_domin; 2 © Thinkstock/Photodisc/Ryan McVay; 3 links © iStockphoto; 3 rechts © fotolia/studio; 4 © Thinkstock/iStock/Oleksiy Mark; 5, 15 © Thinkstock/iStock/Baloncici; 6 links © iStockphoto/simonkr; 6 rechts ©Thinkstock/iStockphoto; 7 © Thinkstock/iStock/Anne-Louise Quarfoth; 8 © fotolia/Ericos; 9 © iStockphoto/perets; 10, 11 © Thinkstock/iStock/Maksym Bondarchuk; 12 © Thinkstock/iStock/Malsveta; 13 © Thinkstock/iStock/annikishkin; 14 © Thinkstock/iStock/tiler84; 16 © Thinkstock/iStock/SirichaiAkkarapat S. 53: E2: Mann © Thinkstock/iStock/Decent-Exposure-Photography; Frau © Thinkstock/Getty Images/Jupiterimages; E3: Sofa © Thinkstock/iStock; TV © Thinkstock/Photodisc/Ryan McVay; Kühlschrank © Thinkstock/iStock/shutswis S. 56: Ü1: oben © Thinkstock/iStock; unten © Thinkstock/Fuse; Ü2: links © Thinkstock/Top Photo Group; rechts © fotolia/david hughes S. 57: Das ist die Küche: Kraus Film, München S. 61: Uhr © iStockphoto/mevans S. 62: C2 © Thinkstock/Stockbyte S. 65: Franz Specht, Weßling S. 69: So ist mein Tag: Kraus Film, München; Ü2 © Thinkstock/iStock/Jevtic S. 72: A2: 1 © Thinkstock/iStock/haveseen; 2 © Thinkstock/iStock/Wonderfulpixel; 3 © Thinkstock/iStock/snowflock; Windrose © fotolia/Ruediger Rau S. 76: D1: A © Thinkstock/Fuse; B © Thinkstock/iStock/bradleyhebdon; C © Thinkstock/iStock/dulezidar; D © Thinkstock/iStock/omgimages; E © fotolia/Gregg Dunnett; F © iStockphoto/small_frog; G © Thinkstock/Comstock; H © iStockphoto/Mlenny Photography; D3 © Thinkstock/iStock/Pierrette Guertin S. 77: Wolken © Thinkstock/Medioimages/Photodisc; Karim: Hintergrund © Thinkstock/iStock; Männer © fotolia/Ilan Rosen 2011 S. 79: © Thinkstock/Stockbyte/Jupiterimages S. 80: Almas Hobby: Kraus Film, München S. 81: 2: Stadt © Thinkstock/iStock Editorial/tupungato; Wetter © Thinkstock/iStock/Wonderfulpixel; 3: oben 2x © Thinkstock/iStock Editorial/tupungato; unten li © Thinkstock/iStock Editorial/tella_db; unten re. © Thinkstock/iStock/kkgas S. 85: B2: A © Thinkstock/Comstock; B © Thinkstock/iStock/monkeybusinessimages; C © Thinkstock/iStock/XiFotos; D © iStockphoto/Steve Cole S. 88: D3 von links: © Thinkstock/iStock/Ljupco; © Thinkstock/iStock/OcusFocus; © Thinkstock/Hemera/Christopher Rynio; © Thinkstock/Medioimages/Photodisc S. 89: E1 © Thinkstock/iStock/Jani Bryson; E3 von links: © Thinkstock/iStock/deyangeorgiev; © Thinkstock/iStock; © fotolia/Rofeld/Hempelmann

Arbeitsbuch

S. AB 11: a © iStockphoto/Ed Bock; b © Thinkstock/Jupiterimages; c © Thinkstock/iStock/BakiBG S. AB 14: Karim © iStockphoto/poco_bw; Heidi © Thinkstock/Photodisc; Jan © Thinkstock/iStockphoto; Fahnen: Rumänien, Polen, Ungarn © Thinkstock/iStock; Türkei © Thinkstock/Wavebreak Media; Spanien © Thinkstock/Hemera S. AB 17: Ü 28: a – Umschlag © fotolia/picsfive; Marke© fotolia/M. Schuppich; b – Umschlag © Thinkstock/iStock/Pornphol; Marke © fotolia/M. Schuppich; Ü 29 © iStockphoto/Juanmonino S. AB 21: © Thinkstock/iStockphoto S. AB 22: Ü 14 © Thinkstock/Photos.com/Jupiterimages; Ü 16 © Thinkstock/Fuse S. AB 24: Ü 21 © Thinkstock/iStock/artsstock S. AB 25: Ü 26 © fotolia/Jeanette Dietl S. AB 27: Ü 30: 1 © PantherMedia/Paul Simcock; 2 © Thinkstock/Goodshoot/Getty Images; 3 © iStockphoto/delihayat; 4 © PantherMedia/Radka Linkova; Ü 31 © Thinkstock/iStock/SurkovDimitri S. AB 29: © Thinkstock/Blend Images/Andersen Ross S. AB 33: Hausnummer © Thinkstock/iStock/papparaffie; Österreich © Thinkstock/iStock; Foto © Thinkstock/iStock/donatas1205 S. AB 37: A © Thinkstock/Hemera; B © Thinkstock/iStock/aarrows; C © Thinkstock/iStock/Reinhold Tscherwitschke; D © fotolia/Fotofermer; E © iStockphoto/evemilla; F © Thinkstock/iStock/Hyrma S. AB 41: Ü 2: A © fotolia/ExQuisine; B: links © fotolia/euthymia; rechts © Thinkstock/iStock/photka; C: links © Thinkstock/iStock/angorius; rechts © Thinkstock/iStock/CreativeBrainStorming; oben © Hueber Verlag/Iciar Caso S. AB 42: © iStockphoto/Jen Grantham S. AB 45: © Thinkstock/BananaStock S. AB 47: alle Fahnen © Thinkstock/Hemera S. AB 55: © Thinkstock/Fuse S. AB 57: Omar © iStock/Juanmonino; Mailin © Thinkstock/Jupiterimages/Creatas S. AB 61: © iStockphoto/Kemter S. AB 62: © Thinkstock/iStock/Eugenio Marongiu S. AB 63: Uhr © iStockphoto/mevans S. AB 66: Ü 1: © fotolia/Petro Feketa; Ü 2: A: Florian Bachmeier, Schliersee; B © fotolia/lu-photo; C © colourbox.com S. AB 67: Info © Thinkstock/iStock/-1001- S. AB 68: Karte © Digital Wisdom; Windrose © fotolia/Ruediger Rau; Wetter Piktos © Thinkstock/iStock/Wonderfulpixel S. AB 69: © Thinkstock/Hemera/Andreas Meyer S. AB 75: © Thinkstock/iStock S. AB 78: © Thinkstock/iStock S. AB 79: © Thinkstock/iStock S. AB 85: © Thinkstock/iStock S. AB 87: © fotolia/M. Schuppich S. AB 90: Frau © Thinkstock/iStock; Mann © Shutterstock.com/racorn S. AB 91: Ü 1: Peter © Thinkstock/Creatas; Susanne © Thinkstock/iStock; Annika © BananaStock; Ü 2 © Thinkstock/iStock/katkov

Lernwortschatz

S. LWS 4: Flaggen: PL, H, D, A, RO © Thinkstock/iStock; E, I, GR © Thinkstock/Hemera; TR © Thinkstock/Wavebreak Media; CH © Thinkstock/Wavebreak Media; SY © Thinkstock/iStock/esancai; BG © Thinkstock/Dorling Kindersley S. LWS 6: E1 © fotolia/Ruediger Rau S. LWS 8: Salz © Thinkstock/iStock/perysty S. LWS 10: Schokolade © Thinkstock/iStock/kuppa_rock; Banane © iStockphoto/ZoneCreative; Butter © iStockphoto/duncan1890; Ei © Thinkstock/iStock/Natikka; Milch © fotolia/seen; Brot © iStockphoto/SednevaAnna; Fisch © Thinkstock/iStock/Antonio Scarpi; Fleisch © Thinkstock/iStockphoto; Käse © fotolia/sumnersgraphicsinc; Apfel © fotolia/Aleksejs Pivnenko; Birne © iStockphoto/ZoneCreative; Brötchen © fotolia/seen; Kuchen © Thinkstock/iStock/Inga Nielsen; Orange © Thinkstock/iStock/Valentyn Volkov; Saft © Thinkstock/iStock/tbaeff; Joghurt © fotolia/ExQuisine; Kartoffel © iStock/jerryhat; Zwiebel © Thinkstock/iStock/Tamara Jovic; Tomate © iStock/ranplett; Wasser © Thinkstock/iStock/Hyrma S. LWS 16: Uhr © iStockphoto/mevans S. LWS 24: Brief © fotolia/picsfive; Marke © fotolia/M. Schuppich S. LWS 26: tanzen © Thinkstock/Fuse; Gitarre spielen © Thinkstock/iStock/bradleyhebdon; wandern © Thinkstock/iStock/dulezidar; Rad fahren © fotolia/Gregg Dunnett; grillen © iStockphoto/small_frog; schwimmen © Thinkstock/Comstock; Freunde treffen © iStockphoto/Mlenny Photography; backen © iStockphoto/tacojim; malen © Thinkstock/moodboard; Ski fahren © Thinkstock/iStockphoto; Tennis spielen © Thinkstock/David Spurdens/www.ExtremeSportsPhoto.com/Fuse

Alle anderen Bilder: Matthias Kraus, München

Bildredaktion: Iciar Caso, Hueber Verlag, München